CATECISMO BIBLICO
Y DOCTRINAL
PARA EL NUEVO CREYENTE

CATECISMO BIBLICO
Y
DOCTRINAL
PARA EL
NUEVO CREYENTE

Adolfo Robleto

CASA BAUTISTA DE PUBLICACIONES

CASA BAUTISTA DE PUBLICACIONES

Apartado Postal 4255, El Paso, TX 79914 EE. UU. de A.

Agencias de Distribución

ARGENTINA: Rivadavia 3474, 1203 Buenos Aires. **BOLIVIA:** Casilla 2516, Santa Cruz. **COLOMBIA:** Apartado Aéreo 55294, Bogotá 2, D.C. **COSTA RICA:** Apartado 285, San Pedro Montes de Oca, San José. **CHILE:** Casilla 1253, Santiago. **ECUADOR:** Casilla 3236, Guayaquil. **EL SALVADOR:** Apartado 2506, San Salvador. **ESPAÑA:** Padre Méndez #142-B, 46900 Torrente, Valencia. **ESTADOS UNIDOS:** 7000 Alabama, El Paso, TX 79904, Tel.: (915)566-9656, Fax: (915)565-9008; 960 Chelsea Street, El Paso TX 79903, Tel.: (915)778-9191; 3725 Montana, El Paso, TX 79903, Tel.: (915)565-6234, Fax: (915)726-8432; 312 N. Azusa Ave., Azusa, CA 91702, Tel.: 1-800-321-6633, Fax: (818)334-5842; 1360 N.W. 88th Ave., Miami, FL 33172, Tel.: (305)592-6136, Fax: (305)592-0087; 8385 N.W. 56th Street, Miami, FL 33166, Tel.: (305)592-2219, Fax: (305)592-3004. **GUATEMALA:** Apartado 1135, Guatemala 01901. **HONDURAS:** Apartado 279, Tegucigalpa. **MEXICO:** Vizcaínas Ote. 16, Col. Centro, 06080 México, D.F.; Apartado 113-182, 03300 México, D.F.; Madero 62, Col. Centro, 06000 México, D.F.; Independencia 36-B, Col. Centro, 06050 México, D.F.; Matamoros 344 Pte., 27000.Torreón, Coahuila; Hidalgo 713, 44290 Guadalajara, Jalisco; Félix U. Gómez 302 Nte., Monterrey, N. L. **NICARAGUA:** Apartado 2340, Managua. **PANAMA:** Apartado E Balboa, Ancon. **PARAGUAY:** Casilla 1415, Asunción. **PERU:** Apartado 3177, Lima. **PUERTO RICO:** Calle 13 S.O. #824, Capparra Terrace; Calle San Alejandro 1825, Urb. San Ignacio, Río Piedras. **REPUBLICA DOMINICANA:** Apartado 880, Santo Domingo. **URUGUAY:** Casilla 14052, Montevideo 11700. **VENEZUELA:** Apartado 3653, El Trigal 2002 A, Valencia, Edo. Carabobo.

Ediciones: 1977, 1979, 1981, 1984, 1985,
1986, 1990, 1992, 1994
Décima edición: 1996

Clasificación Decimal Dewey: 238

Temas: 1. Biblia, Catecismo, Libros de Preguntas, etc.
2. Teología, Estudio y Enseñanza
3. Vida Cristiana

ISBN: 0-311-09088-5
CBP. Art. No. 09088

2 M 11 96

Printed in U.S.A.

CONTENIDO

INSTRUCCIONES PRACTICAS PARA ENSEÑAR Y ESTUDIAR LAS LECCIONES DE ESTE CURSO

El nuevo creyente es cualquier individuo –hombre o mujer, niño, adolescente, joven, adulto o viejo– que al hacer el pastor o el evangelista la invitación evangélica después del sermón, levanta su mano, se pone de pie, o pasa al frente haciendo de ese modo su profesión pública de fe en Cristo, a quien acepta como su Salvador personal, único y suficiente. Por supuesto, el individuo puede hacer su profesión de fe en el hogar, en la calle o en cualquier otro lugar, pero siempre es bueno que la repita en público, en el templo.

Se recomienda que el pastor, el evangelista, o algún consejero espiritual idóneo de la iglesia, se reúna en algún salón aparte con los que hicieron profesión de fe, escriba sus nombres y la dirección domiciliaria, les felicite y anime por la decisión que acaban de tomar, les dé algún folleto explicativo apropiado (como, por ejemplo: **Los Primeros Pasos del Nuevo Creyente en Cristo**, Art. No. 20118, de la Casa Bautista de Publicaciones), les invite a estudiar el Curso de Doce Lecciones Para el Nuevo Creyente, y tenga una oración con ellos.

Durante esa misma semana –el día siguiente o el día anterior al próximo domingo– es bueno que al nuevo creyente se le visite en su casa habitación y se le anime a asistir a los cultos del domingo y a las clases del Curso, las cuales deberán empezar cuanto antes.

1. Ofrecer a los nuevos creyentes una sólida instrucción bíblica y práctica, contribuirá mucho para que ellos, al bautizarse, lleguen a ser miembros inteligentes, fieles y activos.

2. Este Curso se puede enseñar una vez por semana durante un trimestre o trece semanas.

3. El Curso se puede enseñar los domingos a la hora de las clases de la escuela dominical, o en la noche antes del culto, o bien antes o después de la hora del culto de entre semana.
4. Si el número de nuevos creyentes es grande –de unos 15 para arriba, por ejemplo–, quizá dé buenos resultados tener la clase en una noche cuando no hay culto regular en el templo. Así el tiempo de la clase podría ser de una hora y media, y aun de dos horas, con recreo.
5. Es preferible que el pastor de la iglesia enseñe esta clase, pero también un diácono consagrado o un miembro de la iglesia con conocimientos bíblicos y larga experiencia cristiana, es posible que haga un excelente trabajo si se le pide ser maestro del Curso.
6. Es recomendable pedirle a cada nuevo creyente que compre una Biblia y que la lleve a la clase, y un cuaderno de apuntes. Algunas iglesias podrían obsequiar con una Biblia a cada uno de los que hacen profesión pública de fe en Cristo.
7. Los nuevos creyentes que hubiesen asistido por lo menos a las clases de las primeras cuatro lecciones –que incluye la lección sobre el bautismo–, pudieran bautizarse inmediatamente, siendo que se puede decir que en lo que a instrucción religiosa básica concierne, estarían listos para ser bautizados. Después del bautismo se les puede animar a que continúen asistiendo a las siguientes clases hasta completar todo el Curso de estudios.
8. Se recomienda comenzar la clase con oración y dedicar unos minutos para aprender de memoria el versículo clave de la Lección.
9. El maestro debe explicar la respuesta a cada pregunta.
10. Es bueno que los nuevos creyentes participen en la lectura en voz alta, de las referencias bíblicas que se dan, siguiendo las indicaciones del guía espiritual en cuanto al manejo práctico de la Biblia.
11. La última clase, o sea, la décimo-tercera, se puede aprovechar para hacer un repaso del Curso, y contestar las preguntas que los nuevos creyentes tengan a bien hacer, y orientarles personalmente respecto a situaciones de problema que algunos de ellos pudieran confrontar. También en esta última clase, si es que los creyentes no se bautizaron después del estudio de la Cuarta Lección, se puede hablar de los preparativos para el bautismo y fijar la fecha en que éste se tendrá.
12. Sería bueno que al terminar el Curso o después de los bautismos, el pastor y los diáconos, y sus esposas, se reunieran con los nuevos creyentes en la casa del pastor o en otro lugar apropiado, para dis-

frutar de un agradable rato social en el que los nuevos creyentes se vayan familiarizando con los hermanos de la iglesia.

13. Una práctica saludable y edificante es que el pastor de la iglesia, después de practicar la ordenanza del bautismo en los nuevos creyentes, invite a éstos a pasar al frente, los presente por nombre a la congregación, les diga unas breves palabras de estímulo espiritual, les dé la diestra de compañía en el seno de la iglesia, les entregue a cada uno su Certificado de Bautismo, y pronuncie una oración pastoral encomendando a los nuevos miembros a la gracia del Señor. Después del culto y mientras se oye la música de un himno de consagración, los miembros de la iglesia debieran pasar en fila para extender una bienvenida cariñosa a los creyentes que se acaban de bautizar. Todas estas experiencias de orden espiritual serán inolvidables para los nuevos creyentes.

14. Es bueno recordar que el pastor o la secretaria de la iglesia debe escribir los nombres de los recientemente bautizados, en el libro de miembros de la iglesia, apuntando también la fecha en que se celebró el bautismo.

LA SALVACION O EXPERIENCIA DEL NUEVO NACIMIENTO

Mi nuevo hermano en Cristo:
Permítame felicitarlo de todo corazón. Usted ha tomado la decisión más importante de su vida al haber aceptado a Jesucristo como su Salvador personal. Usted es ahora un hijo de Dios. Ha pasado de muerte a vida. Lo felicito también porque hoy empieza a estudiar este Curso de Doce Lecciones, "El Nuevo Creyente". Este estudio le ayudará mucho en su nueva fe y en su nueva vida. Tómelo en serio. Será una aventura agradable y útil.

TEXTO PARA APRENDER DE MEMORIA

"De cierto, de cierto os digo: El que oye mi palabra, y cree al que me envió, tiene vida eterna; y no vendrá a condenación, mas ha pasado de muerte a vida" (Juan 5:24).

PREGUNTA 1 LA SALVACION, ¿QUE ES?
RESPUESTA La salvación es una experiencia de orden espiritual. El hombre que estaba condenado por su pecado, ahora está salvo por la gracia de Dios. Al morir, en vez de ir al infierno irá al cielo. Romanos 5:1; 8:1; Juan 3:36; Mateo 25:34; Filipenses 1:21.

PREGUNTA 2 ¿QUE SIGNIFICA ACEPTAR A CRISTO COMO EL SALVADOR PERSONAL, UNICO Y SUFICIENTE?
RESPUESTA El pecador acepta, es decir, recibe voluntariamente a Cristo. Nadie lo puede forzar a hacerlo. Debe ser su voluntad la que responde. No hay salvación ni por contagio ni por presión. El que quiere se salva y el que no, pues no.
Salvador es el que salva, el que rescata a alguien que estaba en peligro de muerte. Cristo es el Salvador **personal** porque es a través de una experiencia personal que el pecador le recibe. No hay padrinos que intervengan. La relación de fe tiene que ser directa entre el hombre y

Cristo. Juan 5:40; 6:37; Apocalipsis 22:17.
Cristo es el Salvador **único** porque no hay otro que nos pueda salvar. Sólo él tiene el poder necesario para realizar esta obra tan estupenda. Además, sólo él murió en la cruz del Calvario para redimir a los hombres. Los santos no nos pueden salvar; la virgen María no nos puede salvar; la iglesia no nos puede salvar. Sin Cristo, el hombre está completamente perdido. Hechos 4:12; 10:42, 43; 1Timoteo 2:5.
Cristo es Salvador **suficiente**. Al morir en la cruz él hizo una obra de redención completa y satisfactoria. No hay nada que le podamos agregar. Las buenas obras no son una ayuda a la salvación, ni el bautismo ni las limosnas. El sacrificio de Cristo es suficiente. Hebreos 7:25-27; 9:12; Romanos 3:24, 25.

PREGUNTA 3   ¿ES LA SALVACION UN NUEVO NACIMIENTO?
RESPUESTA   Sí, porque así ilustró Cristo la salvación cuando le dijo a Nicodemo que para entrar en el reino de Dios había que nacer de nuevo. La salvación es cosa de vida. El hombre sin Cristo está muerto en sus delitos y pecados. Por medio del nacimiento físico venimos a ser ciudadanos de la tierra; por medio del nacimiento espiritual llegamos a ser ciudadanos del reino de los cielos. Juan 1:13; 3:1-6; 2 Corintios 5:17; 1 Pedro 1:23.

PREGUNTA 4   UNO ES SALVO, ¿DE QUE Y PARA QUE?
RESPUESTA   Somos salvos de la condenación del pecado, de la muerte eterna y del infierno del fuego. Y somos salvos para ser hijos de Dios, herederos de su gloria; para vivir en santidad y glorificar a Dios. 1 Pedro 1:18; Romanos 6:22; Efesios 1:12.

PREGUNTA 5   ¿QUE HIZO CRISTO PARA SALVAR AL PECADOR?
RESPUESTA   Cristo vino al mundo para buscar y salvar al hombre que se había perdido, y para eso fue necesario que él muriera, que ofrendara su vida en rescate del pecador. Toda la Biblia proclama el mensaje de expiación por sangre. "La paga del pecado es muerte", y Cristo, al hacerse pecado por nosotros, tuvo que morir. El drama del Calvario tiene su explicación en el amor de Cristo. Por medio de su muerte Cristo reconcilia con Dios al pecador arrepentido, satisface las demandas justas de la ley divina, y nos abre las puertas del cielo. Juan 1:29; 3:14, 15; Isaías 53:4-7; Efesios 1:7; 1 Pedro 1:18-20; Hebreos 9:22; Apocalipsis 5:9.

PREGUNTA 6   ¿ES LA SALVACION UNA EXPERIENCIA CONTINUA?

11

RESPUESTA La salvación es un evento que acontece de una vez por todas, que permanece y continúa en nosotros. Es decir, continuamente estamos siendo salvos, en el sentido de que el Espíritu Santo, quien nos reveló a Jesucristo por Salvador, sigue haciendo en los redimidos una obra de transformación, de santificación. La salvación, entonces, viene a ser un proceso por cuanto en nosotros se está formando paulatinamente la imagen de Cristo hasta que lleguemos a ser completamente semejantes a él. Romanos 6:22; Mateo 24:13; 2 Corintios 1:10; Filipenses 3:12. Cuando creímos en Cristo, él nos salvó de la condenación del pecado; durante nuestra vida cristiana, el Espíritu Santo nos salva del poder del pecado; y en la resurrección y glorificación seremos salvos para siempre de la presencia del pecado. Romanos 8:3, 9, 11.

PREGUNTA 7 ¿SE PUEDE PERDER LA SALVACION?
RESPUESTA La respuesta es un categórico no. El pecador que recibe por la fe la salvación que Dios le da, no podrá perderla jamás. Lo que Dios da él no lo quita. Juntamente con la salvación hay la garantía de la perseverancia. Por supuesto, tiene que haber la experiencia de la salvación. No somos salvos por las obras y sí somos sostenidos por la fe. Si hay alguien que se llama cristiano y vuelve atrás, eso indica que realmente nunca fue cristiano. La misma gracia divina que nos salva, nos mantiene fieles también, hasta el fin. Esta es una doctrina clara y abundantemente enseñada en la Biblia. Juan 5:24; 3:18a; 10:27-29; Efesios 1:4, 5; Filipenses 1:6; 2 Timoteo 1:12; Romanos 8:1, 29, 30, 35.

PREGUNTA 8 ¿CUALES CONDICIONES DEBE LLENAR EL PECADOR PARA SER SALVO?
RESPUESTA La salvación es por gracia, pero el pecador necesita apropiársela. Las dos condiciones son: el **arrepentimiento** y la **fe**. Arrepentirse es cambiar de mente y, en consecuencia, de dirección de la vida; es reconocer que uno ha pecado contra Dios, sentir dolor por los pecados cometidos, confesarlos a Dios con toda sinceridad, y tener el firme propósito de apartarse de lo malo y hacer el bien. La fe es creer que Cristo murió por nuestros pecados, y que él puede salvarnos. La fe es cuando el pecador recibe a Cristo por Salvador en su corazón. La fe es conocimiento, creencia y confianza. Yo conozco que Cristo es el Hijo de Dios; yo creo que él murió para salvarme; yo me entrego entonces por entero a él: esto es fe, la fe salvadora. El arrepentimiento tiene

que ver con mi pecado; la fe tiene que ver con Cristo. Usted, el nuevo creyente, es salvo, porque se arrepintió y creyó. Esto es sencillamente glorioso. Marcos 1:14, 15; Hechos 2:38; 16:31; 17:30, 31; Romanos 10:8-11.

PREGUNTA 9 **¿CUAL ES EL LUGAR DE LAS BUENAS OBRAS EN LA SALVACION?**
RESPUESTA La salvación no es por obras sino mediante la fe. Las obras buenas son el resultado de la salvación. Es imposible que haya dos salvadores: Jesucristo y mis obras buenas. La fe es, pues, la raíz; las obras son el fruto. Dios ve fácilmente la raíz; los hombres ven la raíz solamente al través del fruto. No somos salvos por las obras que nosotros hacemos para Dios, sino por la obra que Cristo hizo para nosotros. Romanos 3:24, 28; 4:5; 10:6; Efesios 2:8-10; Tito 3:4, 5.

PREGUNTA 10 **¿ESTOY SEGURO DE MI SALVACION?**
RESPUESTA Si soy salvo también debo saberlo y estar seguro de ello. Esta seguridad es posible. Usted aceptó a Cristo por Salvador; él entró a morar en su corazón: entonces no debe tener la menor duda de que ahora es un hijo de Dios. A decir verdad, esta es la seguridad más cabal que podemos tener. De todo lo demás pudiéramos dudar, menos de que Dios salva a todo aquel que pone su confianza en su Hijo Cristo Jesús. Además, el Espíritu Santo se encarga de testificar en nosotros que ahora somos hijos de Dios. En usted, el nuevo creyente, se ha operado un cambio espiritual en su vida que todos lo podrán notar. De modo que gócese, mi amado hermano, en esta feliz experiencia que ha tenido desde el momento cuando vino a Cristo Jesús. Esta seguridad, lejos de producirle orgullo, le va a producir humildad y le va a hacer pro-rrumpir en alabanzas a Dios por su bondad infinita. Juan 1:12; 9:25; Romanos 8:16; 1 Juan 5:13; 2 Timoteo 1:12.

Segunda Lección

PELIGROS EN LOS QUE EL CREYENTE PUEDE TROPEZAR

TEXTO PARA APRENDER DE MEMORIA
"Vestíos de toda la armadura de Dios, para que podáis estar firmes contra las asechanzas del diablo" (Efesios 6:11).

13

PREGUNTA 1 ¿SE ENFRENTA A PROBLEMAS EL RECIEN CONVERTIDO?
RESPUESTA Esta es una de las primeras cosas de las que se da cuenta el nuevo creyente. Desde luego, los problemas son de orden principalmente espiritual, pero algunas veces también surgen problemas de orden material y social. Por ejemplo, la pérdida del empleo, o el ser expulsado de alguna organización, o aun el rompimiento de un noviazgo. El nuevo creyente entra en un período de nueva adaptación en muchos órdenes de la vida. Hechos 14:22; 1 Pedro 4:12-18.

PREGUNTA 2 ¿PUEDE EL NUEVO CREYENTE CAER EN PECADO?
RESPUESTA Sí. La triste realidad es que el pecado siempre de algún modo nos acompañará. Sin embargo, hay varias cosas muy importantes en relación con esto. El convertido recibe una nueva naturaleza, la del Espíritu, mediante la cual uno de sus más altos anhelos es la santidad. También tiene a su disposición muchas ayudas espirituales, de modo que la victoria es una hermosa posibilidad en él. Jesucristo es su constante intercesor delante del Padre; su ministerio sacerdotal en el cielo es a favor de los que creen en él; el nuevo creyente puede acercarse al Señor en arrepentimiento y fe confesando sus flaquezas, y pidiendo perdón, restauración y poder espiritual. La experiencia de caída y levantamiento puede servirle de escarmiento para ser más cuidadoso en su vida espiritual. 1 Corintios 10:12; Lucas 22:31, 32; Hebreos 4:15.

PREGUNTA 3 ¿CUALES SON LAS PRUEBAS DEL CRISTIANO?
RESPUESTA Las pruebas del cristiano son aquellas experiencias que Dios usa para que la fortaleza del carácter cristiano se evidencie y se desarrolle. Una situación cualquiera en que se encuentre el cristiano, puede ser tentación de parte de Satanás y al mismo tiempo puede ser prueba de parte de Dios. La diferencia está en el propósito: Dios quiere el perfeccionamiento del cristiano, mientras que el diablo quiere su caída. El verdadero hijo de Dios siempre tendrá pruebas, las cuales pueden tornarse en bendición. El origen de muchos sufrimientos puede ser natural, pues el cristiano no está exento de las características de imperfección de la vida presente, pero su reacción espiritual a esos sufrimientos puede constituir una hermosa victoria espiritual. Lucas 8:13; 2 Corintios 8:2; Santiago 1:2, 3; 1 Pedro 4:12.

PREGUNTA 4 ¿CUALES SON ALGUNOS DE LOS PELIGROS?

El temor es uno de ellos. A veces el nuevo creyente, al encontrarse en un ambiente hostil a su nueva fe, siente temor. Hay también el peligro de quedarse en la etapa inicial y no crecer espiritualmente. El mundo con sus mil atractivos es otro peligro, y el afán de enriquecerse. Algunos se pueden desanimar cuando ven a otros cristianos que dan mal testimonio. Es bueno saber que existe la posibilidad de estos peligros. Lucas 8:13, 14; Efesios 6:12; 2 Timoteo 3:12.

PREGUNTA 5 ¿CUALES SON LAS CONSECUENCIAS PARA EL CRISTIANO QUE CAE EN PECADO?

RESPUESTA Son varias: 1) La comunión espiritual con Dios se interrumpe; 2) El testimonio del cristiano pierde fuerza; 3) Sus privilegios de servicio en la obra del Señor se ven perjudicados; 4) Experimenta dolor y angustia; 5) Se debilita su voluntad para enfrentarse a nuevas tentaciones. Isaías 59:2; Salmo 32; 1 Timoteo 5:20; Apocalipsis 2:5.

PREGUNTA 6 ¿SI EL CREYENTE CAE EN PECADO QUE DEBE HACER?

RESPUESTA Lo primero es que debe reconocer que ha caído, que ha desobedecido a Dios y contristado al Espíritu Santo, y también que ha dado motivo para que la causa del evangelio sufra reproche. Luego debe arrepentirse y confesar con toda sinceridad su pecado a Dios. El arrepentimiento es la puerta hacia el perdón. Si su caída fue pública, debe pedir perdón a la iglesia de la cual es miembro; y si es posible hacer reparación de su falta, debe hacerla. El pecado del cual no nos hemos arrepentido ni lo hemos confesado, no está aún perdonado. Una vez que el Señor nos ha perdonado, no debemos mortificarnos por lo que ya pasó. Debemos entrar en la experiencia del gozo del perdón. Salmo 51; 1 Juan 1:9; 2:1, 2; Isaías 55:7.

PREGUNTA 7 ¿QUE DEBE HACER EL CREYENTE PARA NO TROPEZAR EN LOS PELIGROS?

RESPUESTA El principal deber del cristiano es la vigilancia. El no se puede dar el lujo de dormir espiritualmente. Generalmente, el cristiano cae por no vigilar. Debe tener cuidado como cuando come pescado. No debe exponerse a las situaciones de peligro. La carne es flaca. El compañerismo con sus hermanos en la fe le puede ayudar mucho a no caer en la tentación. Tal vez si Pedro hubiera estado en la compañía de Juan no habría negado al Señor. También ocuparse en la obra del Señor es muchas veces un freno para no deslizarse, y un poderoso aliciente para seguir muy de cerca a Dios. En la obra de la tentación, hay que buscar el amparo del Señor. El nuevo creyente debe conocer sus debilidades características y mantenerse vigilante en cuanto a ellas. Marcos 14:38; 1 Corintios 10:12, 13; 1 Pedro 5:8, 9; Efesios 6:13.

PREGUNTA 8 EL CREYENTE QUE DESPUES DE SU CAIDA HA SIDO RESTAURADO ESPIRITUALMENTE, ¿QUE DEBE HACER?

RESPUESTA Toda experiencia en la vida del cristiano, por muy dolorosa y triste que sea, debe redundar en la edificacion y el fortalecimiento espirituales de él. Pero hay algo más: el cristiano que por desgracia cayó en pecado, pero que se levantó de su caída y por la gracia del Señor fue restaurado a la comunión con Dios, debe ayudar a sus hermanos en la fe, confirmáandolos. Ahora puede compartir su testimonio con otros y hacerles ver el peligro de alejarse del Señor y de la iglesia. No debe hacer alarde de su caída, pero sí debe agradecer y exaltar la gracia y el amor de Dios, que están a nuestra disposición para hacernos volver al redil. Lucas 22:31, 32; Juan 21:15-17; Gálatas 6:1, 2.

PREGUNTA 9 ¿QUE SON LAS BENDICIONES DEL SEÑOR?

RESPUESTA "Las bendiciones del Señor" es una frase muy común en res recibidos del Señor, y por ellos él dice: "Bendice, alma mía, a Jehová y bendiga todo mi ser su santo nombre. Bendice, alma mía, a Jehová, y no olvides ninguno de sus beneficios." Los favores de Dios son para sus criaturas en general; las bendiciones de Dios son para sus hijos en particular. Génesis 32:24-31; Romanos 8:28; Filipenses 1:12-14; Santiago 1:17.

PREGUNTA 10 ¿CUAL ES EL MINISTERIO DEL SUFRIMIENTO EN LA VIDA DEL CRISTIANO?

RESPUESTA Cuando hay sufrimiento en el cristiano, parece que siempre lo más fácil y lo más común es orar pidiéndole a Dios que nos quite el sufrimiento. Este puede consistir en una enfermedad, un accidente, una quiebra en los negocios, o aun la muerte misma de un ser querido. Cierto es que no tenemos toda la respuesta al problema del sufrimiento; respecto a él, siempre habrá preguntas que no podremos contestar, al menos a nuestra entera satisfacción. Por ejemplo: ¿por qué sufren los niños? ¿Por qué sufre la gente inocente? ¿Por qué cristianos fieles y aun abnegados siervos del Señor sufren de un cáncer terrible? ¿Por qué muchos tienen que sufrir las consecuencias de una guerra que ellos no desataron?

A la luz de las Sagradas Escrituras se pueden hacer las siguientes afirmaciones: 1) El sufrimiento es parte de la vida; nadie está exento del dolor; 2) Dios nos libra de muchos sufrimientos; 3) Algunos sufrimientos son consecuencia de nuestra desobediencia; 4) Es evidente que Dios permite y usa algunos sufrimientos para alguna finalidad espiritual en sus hijos; el sufrimiento muchas veces es un instrumento en las manos de Dios para disciplinar a sus hijos; no entendiendo en todos los casos el porqué del sufrimiento, siempre es prudente que el cristiano ore a Dios pidiendo que se haga según su voluntad. 5) En el caso específico de una enfermedad, ¿cómo debe orar el cristiano? No se le puede "demandar" a Dios la recuperación de la salud; debe pedirse la iluminación del Espíritu Santo para entender la voluntad de Dios a través de aquella enfermedad; debe pedirse la sanidad en la voluntad del Señor y para su gloria; en lo que esté de nuestra parte, debemos evitar las causas que producen la enfermedad; aun en el dolor, los cristianos debemos alabar a Dios. Job 1:20-22; Salmo 32:3, 4; 34:7; 103:3-5; 119:67, 71; Juan 9:2, 3; 11:4; 16:33; Romanos 8:18; 2 Corintios 4:16-18; 2 Corintios 11:29; Filipenses 4:12, 13; Colosenses 1:24; 1 Corintios 11:30, 31.

Tercera Lección

LA IGLESIA

TEXTO PARA APRENDER DE MEMORIA

". . . la casa de Dios, que es la iglesia del Dios viviente, columna y baluarte de la verdad" (1 Timoteo 3:15).

PREGUNTA 1   ¿QUE ES LA IGLESIA?

RESPUESTA   La iglesia de Jesucristo es el conjunto total de los hombres y mujeres que a través de los siglos han creído en él como el Salvador y el Señor de sus vidas; que han sido bautizados en el nombre del Padre, del Hijo y del Espíritu Santo, y que voluntariamente se han unido para llevar adelante la obra de la proclamación del evangelio en el mundo; ella es el cuerpo de Cristo en la tierra y él es su Jefe y Cabeza. Efesios 1:22, 23; 5:23; Hechos 2:41, 47.

PREGUNTA 2   ¿QUIEN ES EL FUNDADOR DE LA IGLESIA?

RESPUESTA   Jesucristo nuestro Señor es el fundador de la iglesia, y él mismo es su base o fundamento principal. Esto quiere decir, entonces, que la iglesia es de origen divino y no humano. Mateo 16:17, 18; 1 Corintios 3:11; Efesios 2:20.

PREGUNTA 3   ¿QUIENES PUEDEN SER MIEMBROS DE LA IGLESIA?

RESPUESTA   Los cristianos, los que han tenido la experiencia del nuevo nacimiento, y que luego han dado obediencia al mandato de Cristo de bautizarse en profesión de su fe en él. De modo que la puerta de entrada a la iglesia del Señor es la experiencia espiritual de la regeneración. Cuando se hacen miembros de la iglesia individuos que no se han convertido, eso causa mucho daño a la vida interna y al ministerio de la iglesia. Las iglesias deben ser muy celosas en esto. Hechos 2:38, 41.

PREGUNTA 4   ¿CUAL ES LA MISION SUPREMA DE LA IGLESIA?

RESPUESTA   La misión primordial de la iglesia es predicar el evangelio a todo el mundo: hombres y mujeres; ricos y pobres; sabios e ignorantes; niños, jóvenes, adultos y ancianos; y a los de toda raza condición social y política. Luego la iglesia debe instruir en la recta doctrina bíblica a todos los que creen, bautizarlos y ofrecerles un hogar espiritual donde puedan crecer en la vida cristiana. La iglesia, pues, como la agencia del cielo en la tierra, debe enaltecer a Cristo y presentarlo como la única esperanza de los pecadores. Marcos 16:15, 16; Lucas 24:46-48; Efesios 1:12; 3:21; 1 Timoteo 3:15b.

PREGUNTA 5   ¿QUE ES LA IGLESIA LOCAL?
RESPUESTA   Por iglesia local se entiende un grupo de creyentes, unidos voluntariamente en un lugar determinado, para proclamar el evangelio en esa comunidad. Las iglesias locales, pues, vienen a ser como las células vitales en el gran organismo de la iglesia cristiana universal. Ellas son el aspecto práctico y visible de la obra del reino de Dios en el mundo. La obra del evangelio se extiende mediante el establecimiento de las iglesias locales, y las iglesias locales, a su vez, se establecen mediante la proclamación del evangelio redentor de Cristo. Hechos 9:31; 13:1; 16:5; 1 Corintios 1:2; 1 Tesalonicenses 1:7, 8.

PREGUNTA 6   ¿CUALES SON LOS OFICIALES DE LA IGLESIA?
RESPUESTA   Los oficiales de la iglesia, según el Nuevo Testamento, son el pastor y los diáconos. El pastor es el guía espiritual, el predicador y el enseñador o doctrinario de la congregación. Es Dios quien lo llama al ministerio del evangelio, pero una iglesia local lo invita a ser su pastor. En el Nuevo Testamento se emplean tres diferentes términos para referirse a este individuo y a sus funciones ministeriales: pastor, obispo, y presbítero. El dirige, apacienta y exhorta a la grey. Los miembros de la iglesia deben tener en alta estima a estos siervos de Dios, deben sostenerlos económicamente, respaldarlos y obedecerles.

Los diáconos o servidores, que es lo que su raíz etimológica significa, son los ayudantes inmediatos del pastor, quienes juntamente con él velan por el bienestar espiritual de la congregación, sirven a la mesa del Señor, o sea la Cena, y, por lo general, sirven en las fases financieras y administrativas de la iglesia. Hechos 20:17, 28; Hebreos 13:17, 24; 1 Pedro 5:4; 1 Tesalonicenses 5:12, 13; 1 Corintios 9:13, 14; Filipenses 1:1; 1 Timoteo 3:8-13.

PREGUNTA 7   ¿CUAL ES LA FORMA DE GOBIERNO DE LA IGLESIA?
RESPUESTA   Como una organización humana, es evidente que la iglesia necesita de alguna forma de gobierno. Y la que más se ajusta a su naturaleza, a su estructura y a sus propósitos es la forma que

pudiéramos llamar democrática, es decir, todos los miembros de la congregación tienen iguales derechos, y en ambiente de libertad y respeto deben tratar sus asuntos y tomar sus acuerdos. Sin embargo, el gobierno es algo más que democrático, pues no es la voluntad arbitraria de los miembros la que se debe obedecer sino la voluntad de Dios, según se enseña ésta en la Biblia y es revelada por el Espíritu Santo. Jesucristo es el Señor de la iglesia; de consiguiente, la iglesia debe actuar siempre de conformidad con lo que Cristo manda y enseña. Algunos otros grupos eclesiásticos practican otras formas de gobierno, pero ésta, la democrática, es la que vemos se ejerció en las iglesias cristianas de la época del Nuevo Testamento. Hechos 1:23-25; 13:2, 3; 15:22; Romanos 12:1a; 2 Corintios 8:8; 1 Corintios 5:4, 5; Mateo 18:20; 20:25-27; 23:8.

PREGUNTA 8   ¿TIENEN LOS MIEMBROS DEBERES PARA CON SU IGLESIA?
RESPUESTA   Sí. Entre los deberes se pueden mencionar éstos: asistir regularmente a los cultos religiosos; ofrendar para el sostén de la obra del Señor; desempeñar algún puesto o cargo que la iglesia le encomiende al miembro; usar sus talentos o dones espirituales para el ministerio y la vida interna de la iglesia; ser leal a ella, y respaldarla en todos sus proyectos. Cada miembro debe contribuir a la estabilidad, la unidad, la santidad y la espiritualidad de la iglesia. En la iglesia nadie tiene más obligación de trabajar que otros; la responsabilidad de la obra pesa sobre todos por igual, pero cada uno sirve según la capacidad que el Señor le hubiere conferido. Romanos 12:1-13; Filipenses 2:12, 13; 1 Corintios 15:58; Romanos 16:6, 12.

PREGUNTA 9   ¿CUALES SON LOS SISTEMAS DE ACEPTAR MIEMBROS?
RESPUESTA   Son tres: 1) Por bautismo; 2) Por carta de transferencia de otra iglesia de igual fe y orden; y 3) Por testimonio.

PREGUNTA 10   ¿CUANDO DEJAN LOS MIEMBROS DE UNA IGLESIA DE SER MIEMBROS DE ELLA?
RESPUESTA   1) Cuando mueren; 2) Cuando se trasladan a otro lugar y se unen a una iglesia de allí; 3) Cuando la iglesia, como cuerpo local, expulsa de su seno y comunión a un miembro por conducta desordenada, por alejamiento total de la congregación, o por haber apostatado de la fe. Mateo 18:15-18; 1 Corintios 5:4, 5, 11-13.

Cuarta Lección

EL BAUTISMO

TEXTO PARA APRENDER DE MEMORIA

"Y les dijo: Id por todo el mundo y predicad el evangelio a toda criatura. El que creyere y fuere bautizado, será salvo; mas el que no creyere, será condenado" (Marcos 16:15, 16).

PREGUNTA 1 ¿QUE ES EL BAUTISMO?

RESPUESTA El bautismo es una ordenanza instituida por Jesucristo, y la cual consiste en la sumersión del creyente en agua, administrada por un ministro ordenado, con la autorización de una iglesia cristiana local. Es el rito mediante el cual el nuevo creyente es aceptado oficialmente como miembro de la iglesia.

PREGUNTA 2 ¿CUAL ES EL SIGNIFICADO DEL BAUTISMO?

RESPUESTA El bautismo es símbolo y representación objetiva de la experiencia espiritual de conversión que el nuevo creyente ha tenido. Esta experiencia, en esencia, es una muerte, una sepultura y una resurrección del nuevo creyente: muerte y sepultura al pecado y resurrección a vida nueva. En el creyente se repite, espiritualmente, lo que fueron acontecimientos históricos y reales en Jesús; es decir, Jesús murió, fue sepultado y al tercer día resucitó. De manera que el bautismo tiene un significado bíblico, hermoso y espiritual. El bautismo representa, exteriormente, lo que el nuevo creyente experimentó interiormente en la salvación. Romanos 6:3-11; Colosenses 2:12.

PREGUNTA 3 ¿QUIENES SON LOS SUJETOS PROPIOS PARA EL BAUTISMO?

RESPUESTA Cualquiera que crea en Jesucristo y le acepte como su

Salvador personal. El individuo, entonces, debe tener la edad suficiente para que pueda creer. La Biblia no nos dice la edad que la persona debe tener para poder ser bautizada, pero si tiene capacidad para creer y cree, entonces puede bautizarse. Es un error bautizar a una persona que no ha creído. En el Nuevo Testamento se ve con suficiente claridad que todos los que fueron bautizados, primero creyeron. Marcos 16:16; Hechos 2:38; 8:36, 37; 16:30-34.

PREGUNTA 4   ¿ES BIBLICAMENTE CORRECTO BAUTIZAR NIÑOS?
RESPUESTA Si se trata de niños que todavía no tienen la edad suficiente para creer, la respuesta a esta pregunta es, no. Por ejemplo, un niño de uno, de dos, de tres, de cuatro y aun de cinco años no debe ser bautizado porque es evidente que no puede creer. La práctica de padrinos en el bautismo es invención humana; en los asuntos religiosos espirituales, es el individuo siempre quien debe ser responsable de sus actos y sus decisiones. En los Evangelios se nos relata el incidente cuando las madres llevaron sus niños a Jesús, pero para que los bendijera, no para que los bautizara. Mateo 19:13-15.

PREGUNTA 5   ¿POR QUE LA IGLESIA CATOLICA ROMANA BAUTIZA NIÑOS?
RESPUESTA La razón por qué la Iglesia Católica bautiza a niños inocentes es porque ella enseña la doctrina de la regeneración bautismal. Según esta doctrina, los niños nacen con la mancha del pecado original y el bautismo les borra esa mancha. Pero según la Biblia sólo la sangre de Jesucristo puede limpiar al hombre de todo pecado. El bautismo es sencillamente un rito, una ordenanza; representa la limpieza espiritual, pero no efectúa esa limpieza. Es Cristo quien hace esto cuando el hombre se une a él mediante la fe. También la Iglesia Católica Romana enseña que los niños que mueren sin ser bautizados, se van al limbo. Tampoco esto es cierto, primeramente porque ese lugar que llaman limbo realmente no existe; la Biblia no nos habla de él. Y en segundo lugar, porque los niños de edad inocente ya son salvos por la sangre del Cordero de Dios, Cristo Jesús, y de ellos **es** el reino de los cielos. Otras iglesias que también practican el bautismo de infantes, no hacen más que seguir la tradición del catolicismo romano. Juan 1:12, 13, 29; Marcos 10:14; 1 Juan 1:7; Apocalipsis 1:5b.

PREGUNTA 6   ¿CUAL ES EL MODO BIBLICO Y CORRECTO DEL BAUTISMO?

RESPUESTA   El modo bíblico y correcto de bautizar al nuevo creyente es por inmersión, esto es, sumergiendo completamente su cuerpo en agua. La Iglesia Católica Romana y ciertas iglesias protestantes practican lo que llaman el bautismo por aspersión, el cual consiste en rociar o derramar un poquito de agua sobre la cabeza del sujeto. En defensa de este modo extraño de "bautizar" algunos dicen que el modo no importa; pero sí importa, porque el bautismo es símbolo, o rito, y entonces debe practicársele en la forma en que Cristo y los apóstoles lo enseñaron y lo practicaron. El símbolo, para serlo, debe ser de cierta forma; si se cambia ésta, desaparece el símbolo. Por ejemplo: una mesa es una tabla horizontal sobre cuatro patas. Si le cambiamos la forma, podrá ser otro mueble, pero no una mesa. La bandera de nuestro país tiene cierto diseño y varios colores combinados; si se altera esto, ya no es la bandera de nuestro país.

La práctica de la aspersión como un modo de bautizar, se originó antiguamente en lo que se llamó "bautismo clínico", porque se le aplicaba únicamente a los enfermos, a quienes no se les podía introducir en un recipiente con agua. Con el tiempo esta práctica se generalizó, pero es una forma incorrecta de "bautizar". Nosotros creemos que para que el creyente esté debidamente bautizado, debe ser bautizado por inmersión y sobre la profesión de su fe en Jesucristo.

Además, hay cuatro razones poderosas por qué el bautismo es por inmersión y únicamente por inmersión:

UNA. Porque el término bautismo, en griego, significa "sumergir". Bautizar cualquier cosa es sumergirla en algo.

DOS. Porque el bautismo, como símbolo religioso, significa muerte, sepultura y resurrección. La inmersión en agua es el único modo adecuado de representar esto.

TRES. Porque en algunos de los casos de bautismo mencionados en el Nuevo Testamento, se incluyen dos detalles descriptivos: que había suficiente agua, y que el creyente entraba y salía del agua. Jesús mismo se bautizó en el río Jordán. Mateo 3:16; Juan 3:23; Hechos 8:36, 38.

CUATRO. Porque durante los primeros dos siglos del cristianismo se bautizaba solamente por inmersión. En varias ciudades antiguas del oriente y en Roma misma, se han descubierto pilas que servían de bautisterios.

23

PREGUNTA 7 ¿POR QUE SE DEBE BAUTIZAR EL NUEVO CREYENTE?

RESPUESTA La razón principal es porque Jesucristo lo manda. El dijo a sus discípulos que bautizaran a los creyentes. El nuevo creyente acepta a Cristo también como su Señor; de consiguiente, debe obedecerle en todo. Pero también el bautismo es un hermoso testimonio público de fe en Jesucristo. El que dice que cree en Cristo, no debe rehusar por ningún motivo el bautizarse. El que no se quiere bautizar es porque en verdad no se ha entregado completamente a Cristo. Hechos 9:6b, 18b.

PREGUNTA 8 ¿CUANDO SE DEBE BAUTIZAR EL NUEVO CREYENTE?

RESPUESTA Después de que ha creído y entiende lo que significa el paso que va a dar. Debe también conocer y creer las doctrinas básicas del cristianismo y lo que significa ser miembro de la iglesia. Por eso las iglesias deben doctrinar inmediatamente a los nuevos creyentes. Pero, ¿cuánto tiempo debe mediar entre el momento de la profesión de fe y el bautismo? El tiempo suficiente para que el nuevo creyente entienda lo que va a hacer. Entonces, según este concepto, un creyente se puede bautizar casi inmediatamente después de haber creído, o algunas semanas y aun meses después, cuando esté completamente listo. Si la iglesia ha cumplido su ministerio de predicar y enseñar, y el nuevo creyente pide ser bautizado, la iglesia no debe ni impedir ni postergar dicho bautismo. Mateo 28:19, 20a; Hechos 8:30b, 35; 10:47.

PREGUNTA 9 ¿SE BAUTIZA UNO PARA SER SALVO?

RESPUESTA No. El nuevo creyente se bautiza porque ya está salvo. El bautismo no salva. Nadie se puede salvar por medio de dos salvadores: Cristo y el bautismo. Jesucristo, quien es una Persona divina y humana, es el único Salvador. El bautismo es sólo un rito y su validez está en ser el testimonio de uno que ya está salvo. Si el bautismo tuviera de por sí virtud salvadora, como enseñan algunos, entonces deberíamos decir que si un borracho se bautiza, automáticamente quedaría salvo, lo cual es, realmente, imposible. Se puede ver en el libro de los Hechos de los Apóstoles, que todos los casos de bautismo que se relatan, siempre se mencionan el arrepentimiento y la fe primero, y sólo después el bautismo. ¿Por qué? Porque el bautismo es sólo el testimonio de obediencia del individuo que ya ha sido salvo. Efesios 2:8, 9; Marcos 1:14, 15.

PREGUNTA 10   ¿CUAL ES LA FORMULA BIBLICA DEL BAUTISMO?
RESPUESTA   Es la ordenada por nuestro Señor Jesucristo y que se encuentra en Mateo 28:19, "... bautizándolos en el nombre del Padre, y del Hijo, y del Espíritu Santo." Hay ciertos grupos religiosos que objetan al uso de la fórmula trinitaria en el acto de bautizar, y alegan que se debe bautizar sólo en el nombre de Jesús. Sin embargo, el mandamiento explícito de la Biblia es para bautizar en el nombre de las Personas de la Santísima Trinidad. La autoridad para el bautismo emana, realmente, de Dios, quien es trino en Personas. El empleo de las tres Personas divinas se ve también en la bendición apostólica: "La gracia del Señor Jesucristo, el amor de Dios, y la comunión del Espíritu Santo sean con todos vosotros. Amén" (2 Corintios 13:14).

Quinta Lección

LA CENA DEL SEÑOR

TEXTO PARA APRENDER DE MEMORIA
"Así, pues, todas las veces que comiereis este pan, y bebiereis esta copa, la muerte del Señor anunciáis hasta que él venga" (1 Corintios 11:26).

PREGUNTA 1   ¿QUE ES LA CENA DEL SEÑOR?
RESPUESTA   Como el bautismo, la cena del Señor es la otra ordenanza que instituyó nuestro Señor, y ella consiste en que el creyente bautizado y miembro de la iglesia participa simbólicamente del cuerpo y de la sangre de Cristo, al comer del pan y beber del vino, consagrados por el ministro, en memoria del Señor Jesús quien murió en la cruz por nuestros pecados.

PREGUNTA 2   ¿CON CUALES OTROS NOMBRES ES CONOCIDA ESTA ORDENANZA?
RESPUESTA   En el Nuevo Testamento se usan estos términos también para referirse a esta preciosa ordenanza: el partimiento del pan (Hechos 2:42), la comunión (1 Corintios 10:16), y la mesa del Señor (1 Corintios 10:21). En la Iglesia Católica Romana la llaman también eucaristía y misa.

PREGUNTA 3   ¿POR QUE NO ES UN SACRAMENTO LA CENA DEL SEÑOR?
RESPUESTA   En primer lugar, la palabra sacramento se deriva del latín y significa juramento de lealtad, el que hacía el soldado al ser conscripto en el ejército de Roma; le juraba lealtad al ejército, a Roma y al emperador. Pero en la teología de la Iglesia Católica Romana,

sacramento es un medio visible de una gracia invisible, que tiene la virtud de transmitir, de por sí, al comulgante, una cierta cantidad de gracia santificante. En este sentido, la cena del Señor no es sacramento, pues la Biblia no enseña para nada tal afirmación. No hay ninguna acción misteriosa en esta celebración.

PREGUNTA 4 ¿QUE SIGNIFICA LA CENA DEL SEÑOR?
RESPUESTA La cena del Señor es un memorial, un recordatorio de la muerte de nuestro Salvador. El no estableció ninguna fiesta para que conmemorásemos su nacimiento, pero sí nos dejó esta ordenanza para que recordásemos su muerte. La razón es obvia: no debemos olvidar jamás que Cristo nos salvó por medio de su sacrificio en el Calvario. Y como él se iba a ausentar, en cuerpo y alma, al ascender al cielo a la diestra de su Padre, él dijo que hiciéramos esto "en memoria" de él. 1 Corintios 11:23-25.

PREGUNTA 5 ¿QUE ANUNCIA LA CENA DEL SEÑOR?
RESPUESTA El apóstol Pablo dice: "Así, pues, todas las veces que comiereis este pan, y bebiereis esta copa, la muerte del Señor anunciáis hasta que él venga" (1 Corintios 11:26). Anuncia o proclama, pues, el hecho de la muerte del Señor. De manera que hay tres predicaciones que los cristianos podemos hacer: la predicación verbal, la predicación pictórica al través de la cena del Señor, y la predicación del testimonio de nuestra vida. Además, la cena del Señor alude al pasado, a la muerte de Cristo; alude al presente, a nuestra comunión con el Señor; y alude al futuro, a la segunda venida del Señor.

PREGUNTA 6 ¿QUIENES DEBEN PARTICIPAR DE LA CENA DEL SEÑOR?
RESPUESTA Los creyentes bautizados, miembros de la iglesia y en comunión con ella. Jesucristo instituyó esta ordenanza cuando estaba con sus discípulos reunidos en el aposento alto en Jerusalén, y encargó a la iglesia local la administración de esta ordenanza. No es, pues, una ordenanza para los inconversos ni para los que todavía no están bautizados. La invitación la hace el Señor y no la iglesia, y él ha invitado a sus discípulos a participar de esta Cena conmemorativa.

PREGUNTA 7 ¿ES CIERTA LA TRANSUBSTANCIACION?
RESPUESTA La transubstanciación es una doctrina católica romana y por medio de ella se enseña que el pan y el vino, en el instante de ser

"consagrados" por el sacerdote, se convierten automáticamente en la carne y la sangre literales de Jesucristo. Desde luego, esta es una doctrina de pura invención humana, pues el Nuevo Testamento no enseña tal cosa, aparte de que semejante fenómeno sería repugnante al paladar e inadmisible desde el punto de vista físico. El error resulta de una interpretación demasiado literalista de las palabras de Cristo en su famoso sermón del Pan de Vida en el Evangelio de Juan capítulo 6. La interpretación correcta de todo este pasaje está en las mismas palabras del Señor, cuando dijo: "El espíritu es el que da vida; la carne para nada aprovecha; las palabras que yo os he hablado son espíritu y son vida" (6:63).

PREGUNTA 8   ¿CON CUANTA REGULARIDAD SE DEBE CELEBRAR LA CENA DEL SEÑOR?
RESPUESTA   A la luz de Hechos 20:7, se puede inferir que los cristianos tenían la costumbre de juntarse el primer día de la semana para partir el pan en obediencia al mandato del Señor, y que esta celebración tenía para ellos una importancia muy grande. No hay, sin embargo, una orden específica en el Nuevo Testamento respecto a cuál debe ser la regularidad en la celebración de esta ordenanza. Es Pablo quien nos dice "todas las veces que comiereis este pan, y bebiereis esta copa,..." Es la iglesia local, entonces, la que debe decidir qué tan regularmente debe celebrar esta ordenanza. Muchas iglesias la celebran una vez por mes, mientras que otras cada dos y aun cada tres meses.

PREGUNTA 9   ¿CUAL ES LA ACTITUD CORRECTA PARA PARTICIPAR DE LA CENA DEL SEÑOR?
RESPUESTA   El miembro de iglesia, al participar de la cena del Señor, debe hacerlo con reverencia y meditando con gratitud en los sufrimientos y la muerte vicarios del Señor Jesús. También debe participar "dignamente", como dice el apóstol Pablo, lo cual quiere decir que debe entender lo que está haciendo; es decir, no debe hacerlo por una mera costumbre ni como una simple ceremonia religiosa; su participación debe ser con inteligencia. Es muy peligroso participar "desordenadamente" de la cena del Señor. 1 Corintios 11:27-34.

PREGUNTA 10   ¿DEBE EL MIEMBRO DE IGLESIA PRIVARSE DE PARTICIPAR DE LA CENA DEL SEÑOR?
RESPUESTA   Participar de la cena del Señor es para el miembro de

iglesia un deber y un privilegio. A muchos miembros no les importa para nada desobedecer este mandamiento del Señor. Esto sucede generalmente cuando el creyente anda apartado de Cristo y de la iglesia. Hay algunos, sin embargo, que se privan de este privilegio porque dicen que no son dignos de participar. Realmente, no somos dignos de nosotros mismos, pero es por la gracia de nuestro Señor que podemos disfrutar de estas preciosas bendiciones espirituales. El recuerdo constante de la muerte de nuestro Salvador nos estimulará a serle leales y a consagrarnos más a él y a su causa.

Sexta Lección

LA VIDA CRISTIANA

TEXTO PARA APRENDER DE MEMORIA
"De modo que si alguno está en Cristo, nueva criatura es; las cosas viejas pasaron; he aquí todas son hechas nuevas" (2 Corintios 5:17).

PREGUNTA 1 ¿QUE ES LA VIDA CRISTIANA?
RESPUESTA La vida cristiana es la nueva vida en Cristo. El cristiano sabe que ahora debe vivir para su Señor y agradarlo en todo. Toda su actuación será siempre la actuación de un cristiano. Jesucristo ocupa ahora el lugar central en su vida. (Filipenses 1:21; Gálatas 2:20).

PREGUNTA 2 ¿CUAL ES EL IDEAL SUPREMO DE LA VIDA CRISTIANA?
RESPUESTA El ideal supremo de la vida cristiana es llegar a ser cada vez más semejante al Señor Jesucristo. El es nuestro ejemplo supremo, y el perfeccionamiento de nuestra salvación es que lleguemos a ser como él es. El cristiano procura imitar conscientemente a Jesús. (1 Juan 3:2; Filipenses 2:5; 3:12).

PREGUNTA 3 ¿CUALES SON LOS DOS DEBERES PRINCIPALES DE LA VIDA CRISTIANA?
RESPUESTA Son éstos: la vigilancia y la perseverancia. Vigilar es no dormirse espiritualmente, sino estar alerta a los peligros y las tentaciones que rodean continuamente al cristiano. No debemos confiarnos demasiado, porque: "Así que, el que piensa estar firme, mire que no caiga" (1 Corintios 10:12). En la mayoría de los casos, los cristianos caen por falta de vigilancia. El cristiano también debe perseverar en el bien y en su fidelidad al Señor. Esto requiere de un esfuerzo inteli-

gente. Hay algunos que empiezan en el camino de la fe, pero luego se apartan. Algunos son buenos cristianos por muchos años, pero luego, poco a poco, o aun repentinamente, desisten y se vuelven negativos. Lo importante es que día tras día, no importe lo que pase, el cristiano siga igual, y aun mejor, creciendo en el Señor. Que cuando la muerte le sorprenda, él sea hallado fiel. En el Nuevo Testamento hay una cantidad grande de versículos en los que el Espíritu Santo nos exhorta a perseverar. Mateo 26:41; 1 Pedro 5:8, 9; Gálatas 6:9; Mateo 24:13; Lucas 9:62.

PREGUNTA 4 ¿CUAL ES UN GRAN INCENTIVO PARA VIVIR LA VIDA CRISTIANA?

RESPUESTA La promesa y la esperanza de la segunda venida de Jesucristo constituye un incentivo o estímulo poderoso a vivir la vida cristiana. La razón es porque sabemos que el Señor volverá a la tierra para estar con su pueblo redimido, y mientras tanto nosotros nos estamos preparando para el encuentro glorioso con él. No nos veremos frustrados en nuestros esfuerzos. No estamos trabajando en vano. Vivimos, pues, para alcanzar una meta. El cristiano, como las cinco vírgenes prudentes de la parábola, debe estar en actitud de espera para la venida del Esposo. Mateo 24:42; 25:4, 7; 1 Juan 3:2, 3; Tito 2:13.

PREGUNTA 5 ¿COMO DEBE EL CRISTIANO CONSIDERAR SU PROPIO CUERPO?

RESPUESTA Antes de que un hombre se convierta a Cristo, su cuerpo es por lo general un instrumento de pecado; pero ahora, en su nueva vida, el cuerpo debe ser un instrumento de justicia y santidad. El cristiano debe glorificar a Dios por medio de su cuerpo, porque éste es el templo del Espíritu Santo y debe presentarlo en "sacrificio vivo". En otras palabras, el cristiano ya no debe hacer con su cuerpo o por medio de él lo que quiera, sino lo que es correcto, edificante, y que dé un buen testimonio del poder transformador del evangelio. Romanos 12:1, 2; 6:19, 22; 1 Corintios 6:12, 18-20.

PREGUNTA 6 ¿QUE ES LA VIDA CRISTIANA EN ESENCIA?

RESPUESTA La vida cristiana en esencia es negación, lucha y discipulado. El yo tiene que morir y una cruz debe ocupar su lugar, o sea Cristo mismo. Pero persevar en esto supone lucha. Cada día, en verdad, el cristiano libra una batalla. Nuestro anhelo constante debe ser vivir la vida victoriosa. Y lo normal en el cristiano debe ser ir en pos del Señor. Cristo es el Guía, el Maestro, el Jefe. Nuestro deber es seguirle.

Usted, que es un nuevo creyente, se dará cuenta de todo esto muy en el comienzo de su vida cristiana. Es bueno aprender a llevar su cruz cada día. Siempre la victoria es más dulce cuando la lucha ha sido más cruenta. Mateo 16:24-26; 1 Corintios 9:25-27; Gálatas 2:20; Efesios 6:12.

PREGUNTA 7   ¿CONTRA CUALES HABITOS DEBE PRECAVERSE EL CRISTIANO?

RESPUESTA   Hay ciertas cosas en particular que son como resbaladeros comunes para muchos cristianos. El nuevo creyente debe conocer esto muy bien y estar prevenido. Una es la pereza espiritual y enfriamiento general en su vida de cristiano. Hay lo que llamamos los "cristianos fríos". Esta clase de cristianos más bien estorban a la obra del Señor. La frialdad es una actitud general de indiferencia hacia las cosas del Señor. El mayor obstáculo a la obra de Cristo en el mundo no son los enemigos del evangelio, sino los mismos creyentes cuando no hacen nada positivo en pro de la causa y más bien dan un mal testimonio. La carnalidad es el pecado de los cristianos. Usted no sea un cristiano carnal sino un cristiano espiritual. Romanos 12:11; 1 Corintios 2:14, 15; 3:1-3.

PREGUNTA 8   ¿CUAL ES EL MINISTERIO DEL ESPIRITU SANTO EN LA VIDA DEL CRISTIANO?

RESPUESTA   El Espíritu Santo desempeña un ministerio importantísimo y variado en la vida del cristiano. En esencia, dicho ministerio consiste en ir paulatinamente formando la imagen de Cristo en el creyente. El Espíritu Santo es revelador, santificador y fortalecedor. Ayuda al creyente a entender mejor las Sagradas Escrituras; lo santifica o aparta para que sea un vaso de honra para el Señor; y lo capacita y dota de poder para que pueda rendir un servicio útil y eficaz. Por eso el cristiano debe valerse continuamente del Espíritu Santo y sus auxilios. En verdad, el cristiano debe hacer un acto de total rendición al Espíritu Santo para ser lleno de él. También el Espíritu Santo redarguye de pecado al creyente y lo impulsa a volver al camino de la obediencia a Cristo. Juan 14:26; Hechos 1:8; Romanos 8:13-16; Efesios 4:30; 5:18.

PREGUNTA 9   ¿QUE ES LO QUE NUESTRO SEÑOR QUIERE DE NOSOTROS LOS CRISTIANOS?

RESPUESTA   Muy específicamente el Señor quiere que sus discípulos lleven o produzcan fruto. Este es uno de sus propósitos en la obra redentora que él hizo en nosotros. Es como el que siembra una semilla, ¿para qué la siembra?: Para que brote y crezca una planta y luego dé fruto. Se puede ver por el pasaje de Juan 15:4-17, que el fruto principal que Cristo espera de los creyentes es el fruto del amor. Si hay este fruto en forma inequívoca, es seguro que las otras virtudes o gracias cristianas también aparecerán. Una vida con fruto además de ser útil es hermosa. Gálatas 5:22, 23; Colosenses 3:1-3, 12-17.

PREGUNTA 10 ¿CUALES SON ALGUNAS COSAS QUE LE AYUDAN AL CRISTIANO A VIVIR UNA VIDA FLORECIENTE?

RESPUESTA Son éstas: Leer, estudiar la Biblia y meditar en ella continuamente; vivir una vida de oración, y asistir regularmente a los cultos de la iglesia. Al través de la Biblia, Dios le habla al creyente; y cuando el cristiano ora, él le habla a Dios. La vida cristiana es, entonces, un diálogo permanente entre el cristiano y Dios. La oración es el fuego que da calor; la Biblia es la despensa que da alimento. Necesitamos la comida para estar fuertes; necesitamos del calor para estar entusiastas. Es una buena costumbre cristiana el orar a Dios antes de comer, al acostarse a dormir y al levantarse en la mañana. La oración de fe es un arma poderosa. Nunca estamos más cerca del Señor que cuando le buscamos de rodillas en oración. Asistir a los cultos es muy necesario. La vida diaria y secular muchas veces nos abruma y nos seca espiritualmente; pero al asistir al templo y participar en el culto, somos renovados espiritualmente. En su casa, Dios siempre tiene un mensaje para nosotros. A usted, mi nuevo hermano en Cristo, le recomiendo que empiece muy bien su vida cristiana. No descuide ninguna de estas tres cosas, y sentirá cómo crece espiritualmente. Primero hay que crecer para después poder dar fruto. La vida cristiana es un romance, una aventura preciosa de fe. Entre en ella con decisión y gozo. Sepa que el Señor estará siempre a su lado para inspirarle y ayudarle. Entonces, mi hermano, adelante, sin echar pie atrás. Dios le bendiga. Mateo 4:4; Lucas 24:32, 45; Juan 5:39; 17:17; Efesios 6:18; 1 Tesalonicenses 5:17; Santiago 5:13, 15, 16.

EL EVANGELISMO PERSONAL

TEXTO PARA APRENDER DE MEMORIA
"Pero los que fueron esparcidos iban por todas partes anunciando el evangelio" (Hechos 8:4).

PREGUNTA 1 ¿QUE ES EL EVANGELISMO PERSONAL?
RESPUESTA El evangelismo personal es cuando el cristiano evangélico le habla a un inconverso acerca del evangelio de Jesucristo. Es la tarea de la comunicación de la verdad eterna de Dios a los individuos que todavía no están salvos porque no han creído en Cristo. Juan 4:28, 29; Hechos 16:32.

PREGUNTA 2 ¿ES EL EVANGELISMO PERSONAL UNA RESPONSABILIDAD DEL NUEVO CREYENTE?
RESPUESTA No es solamente su responsabilidad, sino que es también su privilegio. El Señor Jesucristo espera que el que se convierte a él, les diga a otros acerca de su nueva experiencia de orden espiritual. Usted mismo se hizo cristiano evangélico precisamente porque hubo alguien que le habló acerca de Cristo y de la necesidad suya de ser salvo. Sea usted un cristiano de boca abierta, que sabe dar su testimonio de conversión a otros. Si más cristianos hicieran este trabajo, mayor número de personas se convirtirían al Señor. A decir verdad, uno de los primeros impulsos que el recién convertido siente, es comunicar las nuevas del evangelio a los demás. Cada nuevo creyente debe ser un ganador de almas. Lucas 8:39; Marcos 1:17; 16:15; Hechos 1:8.

PREGUNTA 3 ¿ES IMPORTANTE HACER ESTE TRABAJO?
RESPUESTA Sí, es importante; aun más, es indispensable. Realmente, el corazón, la esencia de la obra del Señor es el evangelismo

personal. Todo lo demás que se hace en ella, es precisamente para robustecer ésta; por manera que si los cristianos no hacemos la obra del evangelismo personal, todo lo demás viene a ser innecesario. El material de que están compuestas las iglesias locales son los individuos que se convierten al evangelio; entonces, resulta claro que el primer trabajo que hay que hacer es el de ganar a los hombres y a las mujeres para Cristo. 1 Corintios 9:16; 2 Timoteo 4:2.

PREGUNTA 4 ¿QUIENES DEBEN HACER LA OBRA DEL EVANGELISMO PERSONAL?

RESPUESTA Todos los que han sido salvos por Jesucristo deben hacer este trabajo. Esto incluye a usted, el nuevo creyente. Dios no le encargó a los ángeles la predicación del evangelio; es lógico también que los que todavía son inconversos, no pueden ni deben dar el evangelio a otros. El evangelismo personal no es una responsabilidad exclusiva de los pastores. Cierto, ellos deben hacer este trabajo, pero cada cristiano en particular debe hacerlo también. Alguien ha dicho que las ovejas se reproducen entre sí mismas. Es interesante observar que la expansión del cristianismo en los primeros años, se debió principalmente al testimonio personal de los llamados cristianos laicos. Hechos 4:20; Romanos 1:8; 1 Tesalonicenses 1:8.

PREGUNTA 5 ¿CUANDO DEBE EL NUEVO CREYENTE HACER LA OBRA DEL EVANGELISMO PERSONAL?

RESPUESTA Una respuesta directa sería: **siempre**. Es decir, en toda oportunidad que se presente, el nuevo creyente debe estar listo y dispuesto para dar el mensaje del evangelio. Y las oportunidades, realmente, abundan. Tenemos algunos familiares inconversos a quienes conviene hablarles del Señor; también nuestros vecinos, nuestros amigos, compañeros de estudio o de trabajo, o cuando uno va de viaje. De día o de noche debemos dar el mensaje. Sin embargo, es posible, y conveniente muchas veces, el apartar algún tiempo especial para salir en busca de almas para hablarles del evangelio. Esta sería una buena manera de usar nuestro llamado tiempo libre, como los domingos por la tarde, o algunas noches después de la cena. Por supuesto, es sabio escoger un tiempo que resulte conveniente para el individuo a quien vamos a evangelizar. 1 Pedro 3:15, 16.

PREGUNTA 6 ¿A QUIENES HAY QUE EVANGELIZAR?

RESPUESTA Todo individuo que todavía no ha oído el evangelio, y todo individuo que aún no ha creído en Jesucristo como su Salvador personal, necesita que se le evangelice. El evangelio es el mensaje de salvación de Dios para todos los hombres. La Biblia afirma el hecho de que todos los hombres son pecadores, "y están destituidos de la gloria de Dios" (Romanos 3:23b). Por todas partes uno fácilmente se encuentra con personas que no tienen la seguridad de su salvación. La iglesia cristiana está en el mundo precisamente para proclamar las buenas nuevas de salvación. Lucas 8:39; Romanos 1:14, 15; 10:14, 15.

PREGUNTA 7 ¿QUE TACTICA HAY QUE EMPLEAR AL EVANGELIZAR?

RESPUESTA No basta evangelizar, sino que hay que saber hacerlo. Hay que procurar que el individuo a quien estamos evangelizando no se sienta ofendido. Conviene ganar su amistad, su interés y su atención. No es bueno mostrar aire de superioridad y, sin embargo, uno debe hablar con convicción y sinceridad. No siempre será lo mejor lanzarse de buenas a primeras al tema de la religión; se debe esperar el momento oportuno para en la conversación deslizarse hacia los asuntos espirituales. Pero una vez abordado el tema, hay que permanecer en él hasta su final lógico. También hay que actuar con amor, con paciencia y con sabiduría. Debemos confiar en que el Señor bendecirá nuestra labor de evangelismo personal. Mateo 10:16; 1 Corintios 9:22.

PREGUNTA 8 ¿QUE SE LE DEBE DECIR A LA PERSONA INCONVERSA?

RESPUESTA En primer lugar hay que hacerle ver, con la Biblia, que es pecadora y que necesita del perdón de Dios. Luego, que Dios la ama, y que en prueba de su amor envió a su Hijo Cristo Jesús al mundo. Después hay que explicarle que Jesús murió voluntariamente en la cruz para salvar al pecador. Entonces, que las condiciones para que Cristo la pueda salvar son el arrepentimiento y la fe. Finalmente, hay que confrontar al individuo con Jesucristo, a fin de que tome la decisión de recibirlo como su Salvador. Si da este paso, se le pueden leer las palabras de Juan 5:24, que hablan de la seguridad de la salvación.

Hay casos que convendrá contestar algunas preguntas, disipar ciertas dudas y contrarrestar objeciones; esto hay que hacerlo, sin embargo, con mucho tacto, y tener el cuidado de no quedarse sólo en los aspectos negativos. El plan de Dios para la salvación del hombre es muy definido y positivo a la vez que claro y sencillo. El siguiente breve bosquejo le puede ser muy útil en su labor de evangelizar:

1. Todos hemos pecado. Romanos 3:23.
2. De sí mismo, el hombre no puede salvarse. Romanos 7:24.
3. Cristo ya hizo todo para la salvación de los hombres. Romanos 5:8.
4. El pecador debe creer para ser salvo. Romanos 10:8-10.

Le recomiendo llevar siempre consigo un Nuevo Testamento, y tener estos versículos subrayados en rojo.

PREGUNTA 9 ¿QUE HACER CON LOS QUE SE CONVIERTEN A CRISTO COMO RESULTADO DEL EVANGELISMO PERSONAL?

RESPUESTA Si usted logra ganar un alma para Cristo, es seguro que va a sentir un gozo muy grande en su corazón y se va a sentir animado a continuar en la preciosa labor de ganar almas. Su responsabilidad, sin embargo, no termina allí. Es conveniente que haga las siguientes cosas:

1. Ore con el individuo evangelizado para que le dé gracias a Dios por la salvación de su alma.
2. Invítelo a asistir a los cultos de su iglesia y explíquele muy bien el horario.
3. Si es necesario, ofrézcale acompañarlo, por lo menos las primeras veces.
4. Consígale una Biblia o un Nuevo Testamento y recomiéndele su lectura.
5. Déle su amistad cristiana y preséntelo al pastor y a los hermanos de la iglesia.
6. Ore constantemente por él.
7. Hágale una o dos visitas en su casa y anímelo a que siga adelante en su nueva vida en Cristo.

PREGUNTA 10 ¿CUAL ES LA RECOMPENSA DEL QUE HACE EL TRABAJO DE EVANGELISMO PERSONAL?

RESPUESTA Experimenta gozo, el gozo de servir al Señor y de ver a un alma rendida a los pies de Cristo y salva. También demuestra ser un cristiano sabio y crece en su propia vida espiritual. Además, participa en el adelanto de su iglesia al traer nuevos miembros a ella, y es un ejemplo y una inspiración a los demás hermanos, quienes sin duda querrán imitarlo. Lucas 15:7, 10; Proverbios 11:30.

Octava Lección

COMPAÑERISMO Y TRABAJO EN LA IGLESIA

"En lo que requiere diligencia, no perezosos; fervientes en espíritu, sirviendo al Señor" (Romanos 12:11).

PREGUNTA 1 ¿QUE ES LA IGLESIA LOCAL PARA EL NUEVO CREYENTE?
RESPUESTA La iglesia local es para el nuevo creyente algo así como su segundo hogar y su familia mayor. Ella representa un nuevo compañerismo en su vida. En verdad, sus mejores amigos ahora serán sus hermanos en Cristo. Todos los que forman la iglesia deben ser buenos compañeros entre sí. La iglesia le presenta un ambiente apropiado para el desarrollo de su vida social. Es bueno, por tanto, que el nuevo creyente participe hasta donde le sea posible en las actividades recreativas de su iglesia. Hechos 2:44; Romanos 12:10; Gálatas 2:9.

PREGUNTA 2 ¿ES POSIBLE QUE SURJAN FRICCIONES ENTRE LOS MIEMBROS DE LA IGLESIA?
RESPUESTA Sí, es posible, y por una sencilla razón, porque somos humanos. El problema es siempre el hombre y no exactamente las circunstancias que le rodean. También, las fricciones surgen por ignorancia, por no tener todos el mismo grado de cultura, y, en fin de cuentas, por ser cristianos carnales y no espirituales. En la iglesia hay individuos convertidos y algunos que no lo son. Ninguna iglesia es perfecta todavía; sin embargo, uno de sus propósitos es el de ser mejor

cada vez, tratando de imitar a su Jefe y Cabeza, Cristo Jesús. Romanos 12:3; 1 Corintios 3:1-4; Filipenses 4:2.

PREGUNTA 3 ¿QUE SE DEBE HACER ANTE UNA SITUACION ASI?
RESPUESTA Se pueden hacer varias cosas: 1) Orar a Dios pidiendo luz, dirección, y una actitud reconciliadora. 2) Se puede conversar con el hermano con quien se tuvo la fricción o el mal entendido, y procurar en buen espíritu aclarar las cosas. 3) De ser necesario, es bueno conversar con el pastor sobre el problema, y pedir su intervención sabia y espiritual. 4) Si hubo uno que cometió la falta, él debe reconocerla y en espíritu humilde debe pedir perdón al hermano que se dio por ofendido. 5) Los hermanos deben mostrar la verdadera amistad cristiana unos con otros. Romanos 12:16-19; Hebreos 13:17; Mateo 18:15-22.

PREGUNTA 4 ¿QUE COSAS CONTRIBUYEN AL COMPAÑERISMO ENTRE LOS HERMANOS?
RESPUESTA El compañerismo es una relación que hay que fomentarla y desarrollarla. Desde luego, su base y razón de ser es que hemos tenido una experiencia común de salvación, formamos una familia, la del Señor, y servimos al mismo Dios. Es bueno que después de los cultos los hermanos se saluden y conversen entre sí, sin hacer ninguna distinción. Debemos hacer de nuestra iglesia un sitio agradable para todos los que concurren a ella. Interesémonos unos en otros, compartiendo nuestras tristezas y gozándonos en las bendiciones que los demás han recibido. Cuando un miembro de nuestra congregación está enfermo, visitémosle o de alguna otra forma manifestémosle nuestra simpatía. Los hermanos en la fe deben orar unos por otros. Este espíritu de amor y de acercamiento amistoso caracteriza a los que somos verdaderamente hijos de Dios. Juan 13:34, 35; Mateo 25:34-40; Hebreos 10:24.

PREGUNTA 5 ¿QUE CONSECUENCIAS PUEDE HABER CUANDO LOS HERMANOS SE ENEMISTAN ENTRE SI?
RESPUESTA La primera consecuencia es la enemistad en sí misma, cosa en extremo triste por cierto. Ambas familias o personas van a perder por lo menos algo de la felicidad y del provecho espiritual de estar presentes en los cultos de la iglesia. Si la enemistad adquiere cierta proporción, existe el peligro que una o aun quizá las dos familias se retiren por completo de la iglesia, lo cual vendría a ser una tragedia para todos. La efectividad en el servicio a Dios y a su iglesia se puede

ver igualmente muy reducida. Y cuando internamente se rompe la armonía de la congregación, la obra total de la iglesia sufre menoscabo. La paz y la armonía entre los miembros que forman una congregación son muy necesarias para la buena marcha de la obra del Señor, asimismo que para la comunión individual con Dios. El verdadero espíritu cristiano es de paz y mansedumbre y siempre tiende a la reconciliación. Efesios 4:2, 3; Colosenses 3:12-15; Salmo 133; Efesios 4:31, 32.

PREGUNTA 6   ¿DEBE EL CRISTIANO TRABAJAR EN SU IGLESIA?
RESPUESTA   La respuesta es un categórico sí. La salvación se desarrolla mediante el servicio. No somos salvos por las buenas obras, pero sí somos salvos para buenas obras, las que Dios "preparó para que anduviésemos en ellas." La iglesia es nuestra primera esfera de servicio. El nuevo creyente debe buscar su lugar de servicio en la obra del Señor. No queremos que los de afuera hagan la obra interna de la iglesia. Los que formamos la iglesia tenemos la responsabilidad de apoyarla, sostenerla y ayudar a su crecimiento. La fe genuina siempre se expresa en una actividad de servicio gozoso a Dios. Cada cristiano, sin excepción, debe hacer algo por adelantar la causa del evangelio en el mundo. Es bueno que demos cualquier colaboración que podamos a las otras iglesias hermanas, pero primero debemos colaborar en nuestra propia iglesia. Cuando Saulo de Tarso se convirtió a Cristo en el camino a Damasco, después de preguntar: "¿Quién eres, Señor?", él preguntó: "¿Qué quieres que yo haga?" Un cristiano activo no solamente es útil sino que también se protege para vencer las tentaciones de Satanás. Filipenses 2:12, 13; Romanos 12:6-8, 11; 1 Tesalonicenses 1:3; 1 Corintios 15:58.

PREGUNTA 7   ¿QUE COSAS PUEDE HACER EL CRISTIANO PARA COLABORAR?
RESPUESTA   Por supuesto, el nuevo creyente todavía no tiene experiencia para desempeñar cualquiera de los cargos que hay en una iglesia, pero entre más pronto empiece a colaborar será mejor. Es bueno que descubra su talento o capacidad y que asesorado de su pastor, se disponga a colaborar en lo que sea necesario. Para el funcionamiento interno de una iglesia hay varias cosas que se pueden hacer, como ser maestro de una clase de la escuela dominical, o superintendente de ésta, o secretario de la iglesia, o director de algunas de las organizaciones de la iglesia, o ser miembro en alguna de las comisio-

nes, o servir como ujier, recogedor de las ofrendas, repartidor de los boletines, etcétera. Si tiene buena voz, también puede ayudar en el coro. Sin embargo, hay que admitir que en una iglesia siempre hay más miembros que el número de cargos que se pueden ofrecer. De modo que siempre habrá algunos hermanos que no serán nombrados para algún trabajo en particular. Esto no debe enojarlos ni desanimarlos, pues siempre queda la tarea imprescindible de todo creyente, y ésta es invitar a otros a venir a los cultos y hacer la obra del evangelismo personal. Para esta tarea no hay límite de número de personas, ni se necesita tampoco de un nombramiento especial; pues ya todos sabemos que como cristianos tenemos el deber de compartir nuestro testimonio de salvación con otros, y, además, esta es la obra que Dios quiere que todos nosotros hagamos. Marcos 5:19, 20; Juan 4:28, 29; 1 Tesalonicenses 1:8; Romanos 16:12.

PREGUNTA 8 ¿DE QUE MANERA CAPACITA DIOS A LOS CRISTIANOS PARA QUE ESTOS HAGAN LA OBRA DEL SEÑOR?
RESPUESTA Dios nos capacita dotándonos de poder por medio del Espíritu Santo. Esta fue la promesa que nuestro Señor dio a sus discípulos, según leemos en Hechos 1:8. La obra del Señor la debemos hacer en el poder y bajo la dirección y la bendición del Espíritu Santo. Además, Dios imparte, según su voluntad, los dones espirituales a los cristianos en la iglesia, para ser usados en la adoración, en el servicio, en el testimonio y en la edificación de los creyentes. Uno no puede exigir los dones espirituales, sino recibirlos según el Espíritu Santo los dé, y ejercerlos en orden y con humildad. De la lista de los dones espirituales, el más importante en cuanto a la relación y motivación es el don del amor, y luego, en cuanto a ministerio de enseñanza y edificación, el don de profecía. Nadie puede tener los dones del Espíritu si primero no tiene al Espíritu de los dones. Debemos, pues, permitir que el Espíritu Santo nos use como él quiera. El que dice que tiene al Espíritu Santo debe también poder decir que el Espíritu Santo lo tiene a él. Y la principal evidencia de esta recíproca posesión es una vida gozosa de santidad dinámica. 1 Corintios 12:1, 7-11; 28-31; 13:1, 8, 13; 14:1-3; 39, 40; 1 Tesalonicenses 5:23.

PREGUNTA 9 ¿DE QUIEN SOMOS NOSOTROS SERVIDORES?
RESPUESTA Un punto importante en el asunto de nuestro trabajo en la iglesia es saber que es Jesucristo a quien servimos, principalmente. A veces ciertas actitudes de los hermanos en la fe pudieran desani-

marnos en continuar dando nuestro servicio, pero si sabemos que somos servidores de nuestro Señor entonces vamos a seguir adelante, en la confianza de que de él, a su debido tiempo, recibiremos la recompensa. La obra es del Señor y no realmente nuestra, y ella tiene la garantía divina de continuidad y estabilidad, aun a pesar de nuestros yerros y negligencia. En verdad que es un gran privilegio el que nosotros podamos ser siervos del Dios Altísimo. Romanos 12:11; Efesios 6:7; Colosenses 3:24; Apocalipsis 22:12.

PREGUNTA 10   ¿CUAL DEBE SER LA RELACION ENTRE EL NUEVO MIEMBRO DE LA IGLESIA Y SU PASTOR?
RESPUESTA   El pastor es el ministro de Dios en la dirección humana de la iglesia. Sus deberes principales son predicar "todo el consejo de Dios" para la conversión de los pecadores y la edificación espiritual de los creyentes, apacentar al rebaño, y presidir todo el trabajo de organización para que la obra múltiple de la iglesia sea bien coordinada y efectiva. El creyente miembro de la iglesia tiene ciertos deberes para con su pastor, los cuales se pueden resumir en tres: 1) debe obedecerle; 2) debe respetarlo y reconocerlo, y 3) debe darle su entusiasta colaboración. Esta obediencia debe ser, desde luego, en el Señor, mientras el pastor exhorte con la Palabra de Dios. También el pastor debe ser respetado principalmente por la posición que ocupa, porque es un siervo llamado del Señor. Para la buena marcha de la obra es muy conveniente que los miembros de la iglesia respalden al pastor en su obra, y cooperen con él con buen espíritu y eficacia. Amemos a nuestros pastores porque entonces nos sentiremos impulsados a orar por ellos, a estimularlos y a comprenderlos. Cuando nos sintamos fríos espiritualmente, o nos encontremos en una situación de problemas y de sufrimiento, busquemos su consejo; démosle la oportunidad de que nos guíe con las enseñanzas de la Palabra de Dios. El pastor puede ser una inmensa bendición en la vida de cada una de sus "ovejas". Hebreos 13:7, 17, 18; 1 Tesalonicenses 5:12, 13; 1 Pedro 5:1-4.

Novena Lección

EL CRISTIANO
Y LA MAYORDOMIA DE LA VIDA

"Si, pues, coméis o bebéis, o hacéis otra cosa, hacedlo todo para la gloria de Dios" (1 Corintios 10:31).

PREGUNTA 1   ¿QUE ES LA MAYORDOMIA?
RESPUESTA   La mayordomía es administrar los bienes de otro. En su aspecto bíblico y cristiano es reconocer que Dios es soberano y que todo le pertenece a él, inclusive nosotros mismos. El principio de la mayordomía es básico a toda la doctrina cristiana y es la esencia de la vida cristiana. Salmo 24:1; Deuteronomio 10:14; Hageo 2:8; Lucas 16:2.

PREGUNTA 2   ¿CUAL ES EL PRINCIPIO EN EL QUE SE BASA LA MAYORDOMIA?
RESPUESTA   La mayordomía se basa en el principio de que Dios es el dueño de todo cuanto existe por razón de que él es el Creador y Sustentador de todas las cosas; y también porque él es nuestro Redentor, y nosotros, por tanto, en gratitud y adoración debemos corresponderle entregándole todo cuanto somos y tenemos. Dios siempre debe tener el primer lugar en todo. 1 Crónicas 29:14; Romanos 14:7, 8; 1 Corintios 6:19; 10:31.

PREGUNTA 3   ¿CUALES COSAS INCLUYE LA MAYORDOMIA?
RESPUESTA   Tratándose de nosotros los cristianos, la mayordomía lo incluye todo; específicamente: nuestro tiempo, nuestros talentos, nuestras oportunidades y nuestro dinero. Realmente, nuestra vida

entera. No hay un solo momento en que dejemos de ser mayordomos del Señor. Colosenses 3:23; Mateo 6:19-21, 33.

PREGUNTA 4 ¿QUE SE ENTIENDE POR TRAER NUESTRAS OFRENDAS AL SEÑOR?

RESPUESTA Uno de nuestros deberes como cristianos y como miembros de una iglesia local es presentar nuestras ofrendas, como parte del culto, en el templo en el día del Señor. Por supuesto, al Señor no le podemos dar dinero como lo hacemos entre nosotros los seres humanos; tampoco él, directamente, está necesitado del dinero; y, además, él mismo dice: "Mía es la plata, y mío es el oro" (Hageo 2:8). Pero por medio de la iglesia a la que pertenecemos nosotros le damos nuestras ofrendas al Señor. Y al dar de nuestro dinero estamos dando de nuestra propia vida, siendo que el dinero representa tiempo, esfuerzos, talentos y trabajo. Ofrendar es una manera de adorar a Dios, y nadie se debe presentar delante de Dios sin adorarlo. Mateo 22:21; 1 Corintios 16:2; Deuteronomio 16:16; 2 Samuel 24:24.

PREGUNTA 5 ¿SE JUSTIFICA QUE EL CREYENTE CONTRIBUYA CON SU DINERO PARA EL SOSTEN DE SU IGLESIA?

RESPUESTA Sí, y las razones son muchas. En primer lugar, la gratitud a nuestro Señor Jesucristo, quien nos salvó, nos mueve de forma espontánea a dar, y a dar con liberalidad. También, al formar parte de una congregación, el espíritu de compañerismo nos inspira a dar. La iglesia, para funcionar como tal y cumplir su responsabilidad de predicar el evangelio, incurre necesariamente en gastos, en muchos gastos. Hay que pagar las cuentas de luz, teléfono, aseo, agua; hay que comprar y pagar la literatura que se usa; hay que construir el templo y amueblarlo adecuadamente y, sobre todo, hay que sostener dignamente al pastor, a quien nos administra el pan espiritual. La iglesia nos presta muy valiosos servicios como individuos y a todas las familias que la forman. Es justo, entonces, que nosotros mismos la sostengamos con nuestras ofrendas voluntarias. No debemos esperar ni permitir que el gobierno subvencione a la iglesia; semejante procedimiento ni es correcto, ni es bíblico, ni es prudente. Mateo 22:21; 1 Corintios 9:11, 13, 14; Gálatas 6:6; 1 Timoteo 5:17; Exodo 35:29.

PREGUNTA 6 ¿EN QUE ESPIRITU DEBE EL CRISTIANO OFRENDAR?

RESPUESTA El término ofrenda envuelve la idea de que damos de nosotros mismos. Es una manera de decirle al Señor: "Aquí estamos;

nosotros mismos nos entregamos a ti". Debemos dar con liberalidad, con gozo, con voluntad, con inteligencia. Debemos dar las primicias y no de lo que nos sobra. Dios es digno de lo mejor. No debemos dar egoístamente, ni por jactancia, ni para ejercer influencia sobre los demás. También debemos dar con regularidad y no motivados sólo por las ocasiones especiales. El ofrendar es parte importantísima en el desarrollo de una vida cristiana normal. 2 Corintios 9:6, 7; 8:1-5; Hechos 4:36, 37.

PREGUNTA 7 ¿QUE CANTIDAD DE SU DINERO DEBE EL CRISTIANO OFRENDAR?

RESPUESTA Esto lo debe decidir el cristiano en espíritu de oración. Un principio que le puede guiar es que si gana más debe dar más. En el Antiguo Testamento la enseñanza de dar primicias, diezmos y ofrendas fue un mandamiento muy claro para el pueblo judío. En la época de Jesús este sistema siguió rigiendo y es indudable que él mismo como fiel judío religioso lo cumplió. Como sistema, la práctica de dar el diezmo de nuestras entradas, como ofrenda mínima, es buena y muy recomendable. Sin embargo, el cristiano no debe diezmar en forma legalista, ni como una carga, ni como un límite fijo. Debe dar por amor y con liberalidad. Levítico 27:30; Malaquías 3:8-10; Mateo 23:23; 2 Corintios 9:6, 7; 1 Corintios 16:2; Lucas 12:48.

PREGUNTA 8 ¿COMO DEBE LA IGLESIA LOCAL USAR EL DINERO DE LAS OFRENDAS?

RESPUESTA La iglesia local debe usar el dinero de las ofrendas con sabiduría, buscando la dirección del Señor. Es muy conveniente que la iglesia nombre un tesorero, una comisión de finanzas, y que elabore un presupuesto para el año, el cual sea aprobado por los miembros. Asimismo es muy necesaria una campaña de promoción para enseñar a los miembros su responsabilidad de ofrendar para sostener el presupuesto. Al elaborar un presupuesto deben tenerse en cuenta las prioridades. Y el dinero debe manejarse sin mezquindad pero con prudencia, con la visión del avance de la obra del Señor. Las finanzas deben atenderse con limpieza y honestidad, informando regularmente del movimiento de las mismas a los miembros reunidos en sesión de negocios. El cristiano, como miembro que es de la iglesia, tiene el derecho a opinar y dictaminar sobre el uso de los fondos. Salmo 41:1; Romanos 12:13; Efesios 4:28; 1 Timoteo 5:17; 2 Corintios 8:19-21.

PREGUNTA 9 ¿CUALES RESULTADOS HAY EN LA VIDA DEL QUE ES FIEL OFRENDADOR?

RESPUESTA Hay varios, y buenos. El que es fiel ofrendador experimenta gozo de hacer la voluntad de Dios y de contribuir al adelanto de la causa del evangelio. Crece en su vida espiritual y es una buena bendición a muchos. Además, él mismo recibe muchas bendiciones del Señor en su vida. Malaquías 3:10; Hechos 20:35; 2 Corintios 9:8-11.

PREGUNTA 10 ¿CUAL DEBE SER LA ACTITUD DEL CRISTIANO EN RELACION CON EL DINERO Y LAS POSESIONES MATERIALES?

RESPUESTA Hay que entender que el dinero nunca debe ser un fin en sí mismo. La avaricia es pecado. No debemos poner nuestra confianza en las riquezas materiales, sino siempre usarlas como medio de bienestar legítimo, de progreso sano y de la mayordomía cristiana. El cristiano debe poseer al dinero y no el dinero poseer al cristiano. El dinero puede ser un medio de bendición y también de maldición. El cristiano debe ganar su dinero honrada y dignamente, y debe ser un buen mayordomo de Dios en el uso que hace de él. Debe ser económico sin ser avaro, y generoso sin ser despilfarrador. En la Biblia hay historias y parábolas que ilustran cómo muchos individuos se perdieron porque no supieron hacer buen uso de sus riquezas. En ella también aprendemos que Dios nos llamará a cuentas por la relación que nosotros tenemos con las posesiones materiales. El cristiano puede ser rico y hacer mucho bien. Pero "raíz de todos los males es el amor al dinero,..." (1 Timoteo 6:10a). Mateo 6:19-21; Salmo 41:1; Efesios 4:28; 1 Timoteo 6:9, 10, 17-19; 5:8; Lucas 12:13-21; 16:19-31.

Décima Lección

EL NUEVO CREYENTE
Y LOS OTROS GRUPOS RELIGIOSOS

"Sino que siguiendo la verdad en amor, crezcamos en todo en aquel que es la cabeza, esto es, Cristo" (Efesios 4:15).

PREGUNTA 1   ¿HAY OTROS GRUPOS RELIGIOSOS?
RESPUESTA   Sí, hay muchos. En verdad que es triste el que haya diversos grupos religiosos, pero esto es un fenómeno característicamente humano, es decir, que cuando cierto número de individuos sustentan las mismas creencias, tienden a juntarse y al mismo tiempo se separan de los que creen de modo diferente. Esto no nos debe perturbar, porque los que ya hemos abrazado por la fe la verdad de Dios y del evangelio, debemos afianzarnos en ella. 1 Corintios 2:5; 2 Tesalonicenses 3:2; Mateo 24:4, 5.

PREGUNTA 2   ¿COMO SE LOS PUEDE CLASIFICAR?
RESPUESTA   Hay las religiones del paganismo, como el hinduismo, el budismo, el sintoísmo, el taoísmo, el confucianismo y el mahometismo. Estas son religiones antiguas, mayormente étnicas, y todas ellas tuvieron su origen en alguna parte de Asia. Está también el judaísmo, que es la religión de Moisés y de los judíos. Luego tenemos el cristianismo histórico, el cual tiene tres ramas: la Iglesia Católica Romana, la Iglesia Ortodoxa, y las llamadas iglesias protestantes. A estas últimas se les puede llamar también denominaciones, entre las cuales hay las siguientes: los bautistas, los luteranos, los anglicanos, los episcopales, los presbiterianos, los metodistas, y otros. Luego tenemos lo que llamamos las sectas modernas, algunas de las cuales son: los adventistas del séptimo día, los testigos de Jehová, los mormones o santos de los últimos días, los de la fe Bahai, los de la ciencia cristiana, los uni-

tarios, y otros más. Algunas de las denominaciones evangélicas se han dividido y subdividido, formándose grupos de individuos que dan marcado énfasis a una doctrina o una práctica eclesiástica en particular.

PREGUNTA 3 ¿ES IMPORTANTE LA DOCTRINA PARA EL NUEVO CREYENTE?

RESPUESTA Sí, es de suma importancia, porque la doctrina correcta y bíblica nos coloca en el camino de la salvación, que es Cristo, mientras que la doctrina falsa o errónea lleva al individuo por camino equivocado, lo cual es perjudicial para su alma. Las Sagradas Escrituras nos enseñan con claridad el plan divino de salvación, y también la doctrina sana que debemos creer y que nos ayuda a nuestro normal crecimiento cristiano. La doctrina cristiana se encuentra principalmente en las cartas apostólicas del Nuevo Testamento. 2 Pedro 2:1-3; 1 Timoteo 4:16a; Efesios 4:13-15; 1 Juan 4:1-4.

PREGUNTA 4 ¿TIENE EL CRISTIANO DEBERES PARA CON LA DOCTRINA BIBLICA?

RESPUESTA Sí, los tiene. En primer lugar debe conocerla y estudiarla. Y también debe creerla, vivirla y proclamarla. El cristiano debe estar preparado para dar razón de su fe. Somos salvos por la fe en Jesucristo y crecemos espiritualmente mediante la fe, pero esta fe está basada en la verdad de Dios. No debemos ir tras la doctrina falsa. Hay dos pecados que no debemos cometer: el de la apostasía, que es apartarse de la fe; y el de la herejía, que es apartarse de la recta doctrina. Juan 5:39; Gálatas 1:6-9; 1 Timoteo 4:1; 2 Timoteo 2:15; 1 Pedro 3:15; 1 Juan 5:21.

PREGUNTA 5 ¿CUAL DEBE SER NUESTRA ACTITUD HACIA LOS OTROS GRUPOS?

RESPUESTA Es muy conveniente el que nosotros estemos bien persuadidos de nuestra doctrina y que nos afiancemos en ella; sin embargo, no debemos mostrar una actitud de superioridad vanidosa sobre los otros grupos religiosos. Como dice el apóstol Pablo, debemos seguir "la verdad en amor". La oportunidad que se nos presente para explicar nuestros puntos de vista doctrinales, debemos aprovecharla con tacto, inteligencia y consideración. Hay que admitir que muchos de los que no piensan o creen como nosotros, es posible que estén equivocados, pero pueden igualmente ser sinceros y bien intencionados. Marcos 9:38-40; Judas 3; Santiago 5:19, 20.

PREGUNTA 6 ¿ES POSIBLE APRENDER ALGO DE LOS OTROS GRUPOS RELIGIOSOS?

RESPUESTA Sí, es posible. Ahora bien, toda agrupación religiosa enseña algo que es bueno y que es verdad. Esto es cierto aun tratándose del paganismo. Por ejemplo, la creencia en Dios, aunque de ciertas maneras diferentes, es común a todas las religiones. Pero como esos otros grupos religiosos enseñan también errores y doctrinas falsas y hasta antibíblicas, nosotros no debemos ir tras de ellos. Sin embargo, en lo que a métodos de trabajo y espíritu de entrega concierne, muchas veces esos grupos nos enseñan las virtudes de la dedicación, del espíritu de compañerismo y de lealtad apegada a sus principios. Lucas 16:8.

PREGUNTA 7 ¿HAY ALGUNAS DIFERENCIAS FUNDAMENTALES ENTRE LA IGLESIA CATOLICA ROMANA Y NUESTRA IGLESIA CRISTIANA EVANGELICA?

RESPUESTA Aunque es cierto que a raíz y como resultado del Segundo Concilio Vaticano la Iglesia Católica Romana ha cambiado en algunas de sus posiciones tradicionales, en algo de su liturgia, y en su actitud hacia la Biblia y hacia las llamadas iglesias protestantes, sigue siendo también cierto que en cuanto a sus dogmas oficiales, algunos de ellos antibíblicos, ella permanece igual. Algunas de estas diferencias fundamentales son las siguientes:

1. La Iglesia Católica Romana enseña la doctrina de una salvación por fe más buenas obras. La Biblia enseña la salvación solamente por la gracia de Dios y la fe en Jesucristo. Efesios 2:8, 9.

2. La Iglesia Católica Romana enseña la doctrina de la regeneración bautismal, o sea, que el bautismo borra los pecados del que se bautiza. La Biblia no enseña tal cosa. El bautismo es sólo una representación simbólica de una experiencia espiritual de salvación. Hechos 16:31.

3. La Iglesia Católica Romana enseña la doctrina de la gracia sacramental, o sea, que la gracia de Dios nos viene al través de la observancia de ciertos ritos que se llaman sacramentos, y que éstos operan automáticamente. Según la Biblia, la gracia de Dios nos beneficia mediante la fe en Jesucristo, sin la intervención de nada ni nadie. Hechos 13:39; Romanos 4:5; 5:1.

4. La Iglesia Católica Romana enseña que el obispo de la diócesis de Roma, o sea el Papa, es el Vicario de Jesucristo en la tierra y el Jefe

y Cabeza de la iglesia. La Biblia, en cambio, nos dice que el Espíritu Santo vino para ocupar el lugar de Cristo, y que Jesucristo es la Cabeza y el Señor de la iglesia. Juan 14:16, 17, 26; 16:7, 13; Mateo 23:8; 1 Corintios 3:11; Efesios 5:23; 1 Pedro 5:1-4.

5. La Iglesia Católica Romana enseña que hay un lugar entre la hora de la muerte y el día de la resurrección, al cual llama el purgatorio, y que a ese lugar van las almas de los que mueren en pecado venial, y que no lograron en vida purgar toda la pena debida a sus pecados. Y que las ánimas del purgatorio se las puede ayudar, mandando decir misas en sufragio de ellas. La Biblia no nos dice para nada de semejante lugar. Nos dice que dos son los lugares y estados finales de los que mueren: la gloria y el infierno, y que nada se puede hacer en favor de los muertos. Lucas 16:19-31; 23:42, 43; Hechos 9:27.

PREGUNTA 8   ¿EN QUE CONSISTEN LOS ERRORES PRINCIPALES DEL PAGANISMO?

RESPUESTA   Para nosotros los cristianos, las religiones paganas son las que no aceptan la Biblia como sus escrituras sagradas, ni a Jesucristo como el Hijo de Dios y el Salvador del mundo. Además, hay cuatro cosas que distinguen al paganismo y que son sus errores básicos. Mirémoslas.

1. **Politeísmo.** El politeísmo es la creencia en muchos dioses. Según el paganismo, no hay un solo Dios, eterno, santo y todopoderoso, sino muchos dioses. Para los paganos, aun las fuerzas inanimadas de la naturaleza son dioses. Hechos 17:22-23.

2. **Idolatría.** El paganismo tiende a representar a sus dioses por medio de ídolos e imágenes. En consecuencia, le rinde culto o adoración a los ídolos. Los paganos no conocen el culto espiritual de que nos habla la Biblia. La idolatría es error, superstición y pecado. El cristiano evangélico ni debe tener ídolos ni debe venerarlos. Exodo 20:3-6; Isaías 44:9-20; Romanos 1:22-25; Juan 4:24; 1 Juan 5:21.

3. **Salvación por esfuerzos humanos.** Un fenómeno curioso y triste es que todas las religiones formuladas por los hombres enseñan una salvación por obras o esfuerzos propios. No es Dios el que salva sino el hombre mismo. Por consiguiente, la doctrina de la seguridad eterna del creyente es totalmente desconocida por las religiones paganas. Tampoco existe en esas religiones la preciosa doctrina de la gracia y del amor divinos. Efesios 2:8-10.

4. **Inmoralidad.** El paganismo no enseña ni promueve el ideal de la

verdadera santidad de vida. Por su genio y sus prácticas religiosas más bien incita a la comisión de pecados groseros y repugnantes. Y es que el alejamiento doctrinal de Dios y de su verdad produce siempre un desprecio por la moralidad y un desbordamiento de las bajas pasiones humanas. Los cultos paganos se vieron acompañados de sacrificios humanos, embriaguez, y concupiscencia. 1 Corintios 10:19, 20; Romanos 1:24-32; Exodo 32:5-8.

PREGUNTA 9 ¿ESTAN EQUIVOCADOS LOS LLAMADOS "TESTIGOS DE JEHOVA"?
RESPUESTA Sí, están equivocados en muchos puntos. Mencionamos sólo los más importantes o los más perniciosos. Son éstos:

1. Niegan la doctrina de la Santísima Trinidad.
2. Niegan la divinidad de Jesucristo y la deidad y personalidad del Espíritu Santo.
3. Niegan la resurrección corporal de Jesucristo de entre los muertos.
4. Niegan la doctrina evangélica de la eficacia expiatoria de la muerte de Jesucristo, y el arrepentimiento hacia Dios y la fe en Jesucristo como las condiciones para ser salvo.
5. Niegan la futura venida en gloria, repentina y visible de Jesucristo.
6. Niegan la doctrina neotestamentaria del infierno o del castigo eterno de los impíos.

De modo que ellos son más un sistema de negaciones que de afirmaciones.

PREGUNTA 10 ¿ES ERRONEA LA SECTA DE LOS MORMONES O "SANTOS DE LOS ULTIMOS DIAS"?
RESPUESTA Sí, por la sencilla razón que esta secta la originó un hombre que se llamó José Smith, el cual basó su sistema religioso en la supuesta aparición a sí mismo de un ángel. El Libro del Mormón es la segunda Biblia para ellos, y las interpretaciones de los mormones son antojadizas y en gran parte contradictorias de las Sagradas Escrituras mismas. El nuevo creyente, que ha tenido una experiencia genuina de salvación y que ha creído sinceramente en un evangelio totalmente bíblico, no necesita mendigar en ninguna de estas sectas religiosas erróneas en busca de la verdad. El que ya tiene a Cristo por Salvador y la Biblia por la base de su fe, debe quedarse y afirmarse allí. Efesios 4:13-15; Mateo 24:11-13; Gálatas 1:8; 2 Pedro 2:1-3; Judas 3.

Undécima Lección

EL CRISTIANO Y EL MUNDO

TEXTO PARA APRENDER DE MEMORIA

"Entre tanto que estoy en el mundo, luz soy del mundo" (Juan 9:5).

PREGUNTA 1 ¿CUAL ES LA RELACION DEL CRISTIANO Y EL MUNDO?

RESPUESTA El cristiano está en el mundo, aunque de cierto modo no es de él. Cristo dijo de sus discípulos: "No son del mundo, como tampoco yo soy del mundo" (Juan 17:16). Desde el punto de vista de nuestra esperanza de vida eterna, nosotros los hijos de Dios no somos del mundo. Sin embargo, seguimos viviendo en él y no podemos desembarazarnos totalmente de él. Tenemos que reconocer que en el mundo hay la parte buena y la parte mala. Nosotros debemos identificarnos con la parte buena. Jesucristo dice que nosotros los cristianos somos "la sal de la tierra" y "la luz del mundo", lo cual quiere decir que tenemos una responsabilidad espiritual para con la sociedad humana con la cual vivimos y a la cual pertenecemos. En el mundo físico que Dios creó hay muchas cosas bellas y útiles, las cuales debemos saber aprovechar.

En el Nuevo Testamento hay tres usos de la palabra **mundo**. Uno es el mundo físico, la tierra como planeta. Otro es el que se refiere a la humanidad, al conjunto de los seres humanos, a la sociedad de hombres y mujeres de la que todos formamos parte. Y otro es el sistema mundano de vida, el cual no está dominado por Dios sino por el príncipe de las tinieblas, Satanás. Este es el mundo de los placeres, del egoísmo, de las intrigas. El primer mundo debemos admirarlo; al segundo debemos amarlo; y al tercero debemos aborrecerlo. Génesis 1:10; Salmo 24:1, 2; Juan 3:16; 2 Timoteo 4:10; 1 Juan 2:15, 16.

PREGUNTA 2 ¿COMO DEBE SER EL CRISTIANO COMO CIUDADANO?

RESPUESTA Según el Nuevo Testamento, el cristiano es ciudadano de dos mundos: de la tierra y del cielo. Es decir, pertenece a un orden temporal y a uno eterno. Jesucristo mismo reconoció esto cuando en respuesta a los fariseos y a los herodianos, les dijo: "Dad, pues, a César lo que es de César, y a Dios lo que es de Dios." Mateo 22:21. El gobierno es instituido por Dios para el orden, la paz y el progreso de los pueblos. El cristiano debe reconocer a su gobierno, respetarlo y obedecerlo, siempre que esto no entre en abierto conflicto con sus principios de conciencia y con su lealtad a Dios, quien es el que debe ocupar el primer lugar en nuestra vida. Como ciudadano del mundo, el cristiano debe ejercer su derecho al voto, pagar también los impuestos públicos, y servir en cualquier capacidad decente que su gobierno le pida. En resumen, el cristiano debe esforzarse por ser un ciudadano ejemplar. Esto contribuirá a su propia felicidad, al progreso positivo de su nación, y será un buen testimonio de la excelencia de la ética del evangelio. Mateo 17:24-27; Romanos 13:1-8; Filipenses 3:20; Hechos 19:38-40.

PREGUNTA 3 ¿DEBE EL CRISTIANO PARTICIPAR EN LA POLITICA?

RESPUESTA Hay ciudadanos que sienten la inclinación a ser políticos, o sea, a participar activamente en la política como candidatos a puestos públicos. Cualquier cristiano que sienta esto como la vocación de su vida, está en su derecho de hacerlo así. Pero hay la participación más general, como la de afiliarse a algún partido, hacer propaganda por su candidato favorito, y votar. Esto también es legítimo. Podemos decir con toda confianza, que tanto la letra como el espíritu del Nuevo Testamento no se oponen a que el cristiano participe en la política de su país.

Conviene, sin embargo, agregar aquí algunas palabras de cautela evangélica. El cristiano debe siempre guiarse por la ética del Nuevo Testamento. Primero que todo, él es un discípulo de Jesucristo, cuyas normas debe cumplir. Se deduce, pues, de esto, que el cristiano genuino no debe afiliarse a ningún partido de tendencia atea y violentamente revolucionario. Toda su participación en la política debe ser dentro de los cauces del orden y de la ley. Es tradicional el concepto de que para entrar en la política hay que emplear cualesquiera métodos sucios e ilegítimos. Nuestro consejo es que si el cristiano no va a aplicar los principios cristianos en la política, en tal caso es mejor que canalice sus energías y vuelque su entusiasmo en otras empresas, en donde no se sienta tan tentado a valerse de maniobras turbias e indignas para salir avante en sus empeños. A este respecto es interesante estudiar el ejemplo y la actitud de nuestro Señor. El no actuó violentamente contra el gobierno de su época y de su país; él se ajustó a las leyes reinantes, mientras no estuvieran en conflicto con su lealtad a su Padre celestial.

A lo largo de los siglos, se han visto innumerables casos de individuos cristianos que han sabido mantener muy en alto su posición de cristianos aun en medio del ambiente de la política. Claro, hay que estar dispuestos a pagar el precio por esto, pero vale la pena.

En la historia del Antiguo Testamento podemos ver que la vida religiosa y la vida política estaban íntimamente ligadas. Los reyes eran aconsejados por los profetas, y se consideraban siervos de Dios. El concepto de teocracia siempre estaba latente en el gobierno de la nación. Se puede, pues, ser político, pero, ante todo, hay que ser cristiano.

PREGUNTA 4   ¿QUE SE ENTIENDE POR LIBERTAD RELIGIOSA?
RESPUESTA   Por libertad religiosa se entiende que el hombre, por derecho propio dado por el Creador, si quiere cree y si no, no; y que puede adorar a Dios según los dictados de su conciencia. Ningún gobierno tiene el derecho de imponer una determinada religión, ni de prohibir el libre ejercicio de ella. La intolerancia religiosa, de parte de los gobiernos o aun de una organización eclesiástica sobre otra ha sido una práctica injusta, contraproducente y sumamente perjudicial. La historia nos describe el triste espectáculo de naciones, aun de las llamadas cristianas y civilizadas, que por años y años se hicieron la guerra y ensangrentaron los campos, precisamente por no reconocer el principio de la libertad religiosa. Si el hombre es competente por su naturaleza, tanto racional como espiritual, para creer en Dios y para adorarlo, se sigue que es también libre para hacer esto de la mejor manera en que él lo entienda, siempre que su manera de adorar no dañe la moral ni la integridad física de los demás.

Es digno reconocer, sin embargo, que en la última década ha habido algo de progreso en lo que a la actitud y a la posición doctrinaria de la Iglesia Católica Romana concierne. Uno de los avances positivos en la celebración del Segundo Concilio Vaticano, fue precisamente el que tuvo que ver con el principio de la libertad religiosa, habiéndose pronunciado el Concilio a favor de esta básica libertad. Los cristianos evangélicos jamás debemos perseguir a nadie por sus ideas religiosas. En toda sociedad organizada se reconoce el derecho a exponer uno sus ideas, a explicarlas y aun a la persuasión legítima, pero sin recurrir a los métodos violentos de la imposición. Lucas 9:49-56; Gálatas 5:1, 13.

PREGUNTA 5   ¿TIENE EL CRISTIANO QUE VER CON LA GUERRA?

RESPUESTA   La guerra es uno de los peores males que se conocen en la historia de la humanidad. Es triste decirlo, pero lo cierto es que los hombres han tenido más períodos de guerra que de paz. Precisamente, la historia del hombre se inicia con un crimen, el homicidio que Caín cometió contra su hermano Abel. Por supuesto, se pueden aducir argumentos en cuanto a que hay guerras justas y guerras injustas. En esto entra el juicio que cada uno puede hacer respecto a determinada guerra. Es posible que concurran ciertas circunstancias para que, dentro del estado presente de cosas en que viven los hombres, haya algunas guerras que de parte de algunos no se puedan evitar, como cuando se trata de pelear en defensa propia.

Haciendo, pues, la salvedad de ciertas guerras en particular, desde el punto de vista bíblico y cristiano podemos decir que los que somos discípulos de Jesucristo debemos pronunciarnos en contra de las guerras, y si a conciencia no podemos justificar una guerra en particular, entonces tampoco debemos participar activamente en ella. Las guerras en grande no son sino la exteriorización de la guerra interior que los hombres libran en su corazón. Es cuando colectivamente, como nación o pueblo, le damos rienda suelta a las pasiones que nos dominan, como la envidia, la codicia y el odio. La guerra es la solución más violenta que hay a las diferencias entre los pueblos. Toda guerra es una flagrante contradicción a la decantada civilización. Los hombres de ideas avanzadas en la política, en el gobierno y en la vida, no debieran siquiera pensar en la necesidad de recurrir al poder de las armas para dirimir sus querellas. Pero, en un mundo de tremendo progreso tecnológico mas, sin embargo, dominado por Satanás, es muy difícil esperar que los hombres sean amantes sinceros de la paz.

Los cristianos evangélicos debemos ser un pueblo de paz y los pacificadores de la tierra. Por todos los medios posibles, sin recurrir a la violencia, debemos condenar la guerra. Somos los discípulos del

Príncipe de Paz. Mateo 5:9, 38, 39; Juan 14:27; 18:36; Romanos 12:17-19; Santiago 4:1, 2.

PREGUNTA 6 ¿PUEDE EL CRISTIANO CONTRIBUIR AL PROGRESO?
RESPUESTA Por progreso entendemos el avance positivo de la humanidad en todas las ramas de la ciencia y en todos los órdenes de la vida. El progreso debe ser material y espiritual, de los individuos y de los pueblos. En el ser humano existe el afán del progreso. El progreso auténtico es que los hombres lleguen a vivir en paz y en concordia, y a disfrutar de todas las cosas buenas de la vida.

No se hace difícil entender que el cristiano debe impulsar por todos los medios posibles el progreso de su ciudad, de su país, y del mundo entero. El hecho de que es cristiano le impone la obligación moral de respaldar toda obra y toda empresa enderezada hacia el progreso de la humanidad. Su filosofía práctica debe ser la de que él está en el mundo para hacer su contribución al mejoramiento total de la humanidad. Su experiencia espiritual de salvación y su conocimiento de las enseñanzas del evangelio, le capacitan quizá más que a ningún otro para ser un contribuyente eficaz en el ámbito del progreso. En esta coyuntura caben otra vez las palabras de Cristo cuando a los súbditos de su reino les dijo: "Vosotros sois la luz del mundo", y "Vosotros sois la sal de la tierra".

Nos da un sentimiento de justa satisfacción saber que entre aquellos hombres y mujeres que a lo largo de los siglos han hecho mucho por el progreso, se encuentran, en su mayoría, los cristianos. La enseñanza del cristianismo, sabiamente aplicada, es un factor preponderante en todo progreso positivo de los pueblos. Lucas 7:4, 5; Hechos 24:2, 3.

PREGUNTA 7 ¿SE DEBEN TENER PREJUICIOS RACIALES?
RESPUESTA La humanidad ha sufrido mucho por causa de los prejuicios raciales. El prejuicio racial es menospreciar a alguien por el color de su piel, por el grupo étnico al cual pertenece. En justicia, nadie tiene el derecho a menospreciar a otro sólo porque sus rasgos físicos raciales son diferentes. En primer lugar, nadie tiene la culpa de ser como es. El que es negro bien pudo haber sido blanco, y el que es blanco bien pudo haber sido negro. Somos según los padres de quienes nacemos.

En segundo lugar, es una tontería tratar a los individuos por el color de su piel, en vista de que esto es sólo una diferencia superficial. Esencialmente, la raza humana es una. La Biblia dice que Dios "de una sangre ha hecho todo el linaje de los hombres, para que habitasen sobre la faz de la tierra; y les ha prefijado el orden de los tiempos, y los límites de su habitación" (Hechos 17:26).

Y, en tercer lugar, todo ser humano, por el hecho de ser humano, y una criatura de Dios, es una personalidad que debe ser respetada. Realmente, en las cosas básicas de la existencia y espiritualmente a los ojos de Dios, todos somos iguales, nadie es superior a los demás. Todo hombre y toda mujer tienen un valor intrínseco incalculable. Dentro de tales condiciones, pues, el trato normal entre unos y otros debe ser de justicia y de consideración.

Y sobre todo esto, el hecho de que somos cristianos, de que "el amor de Dios ha sido derramado en nuestros corazones por el Espíritu Santo que nos fue dado" (Romanos 5:5), y de que todos los creyentes en Jesucristo somos hermanos, pone sobre nosotros la obligación moral no sólo de no menospreciar a nadie por su color, sino también la de amar a todos los hombres y "servirnos por amor unos a otros". En todo lo que esté a nuestro alcance, los cristianos debemos contribuir a erradicar por completo los llamados prejuicios raciales. Juan 15:17; 1 Tesalonicenses 4:6; Colosenses 3:11; Apocalipsis 7:9.

PREGUNTA 8 ¿CUALES SON LOS MAS GRAVES PROBLEMAS DEL MUNDO EN LA ACTUALIDAD?
RESPUESTA Tanto la Biblia como la historia nos dan testimonio de que la humanidad, desde sus principios, ha tenido muchos problemas. Sin embargo, en la actualidad hay algunos problemas que son característicos de la época, y otros se han acentuado. Podemos mencionar los siguientes:

La superpoblación. Consiste en que los hombres se están multiplicando a un ritmo vertiginoso, especialmente en algunos países, los cuales resultan ser los más pobres. Se calcula que para el año 2,000 la población mundial habrá alcanzado la cifra colosal de los siete mil millones. Es fácil comprender que este crecimiento rápido de población produce a su vez otros problemas.

El hambre. El número de los muertos por hambre va siendo cada vez mayor. La producción de los alimentos es inferior al número de bocas que hay que alimentar. También hay mala distribución de los alimentos. Los entendidos en estos asuntos ya están prediciendo que en los próximos años habrá en el mundo más hambres como nunca antes. **El aborto y los divorcios.** Ambas cosas han sido legalizadas en muchos países. Y el índice de ellas ha crecido fantásticamente, y son síntomas de una sociedad humana moralmente enferma. **La drogadicción.** Se han descubierto muchísimas nuevas drogas, y la gente, especialmente los jóvenes, cada vez más se entregan al vicio de las drogas, por el cual siguen también los caminos de la inmoralidad, del robo y del crimen. **La contaminación.** Debido al auge de la industria, en el que la combustión es un fenómeno inevitable, las aguas, el aire y la tierra se están contaminando de substancias nocivas y venenosas que, con el tiempo, harán difícil la vida humana sobre la tierra. Jeremías 2:7; 2 Timoteo 3:1-5.

PREGUNTA 9 ¿QUE PUEDE HACER EL CRISTIANO EN CUANTO A ESTOS PROBLEMAS?
RESPUESTA En primer lugar, es bueno reconocer que todos estos problemas arrancan del pecado en el corazón del hombre, y son también un resultado de la ignorancia del hombre respecto de muchas cosas. A decir verdad, la única y completa solución que hay para estos y cualesquiera otros problemas es la erradicación completa del pecado, de donde la raíz de todos los problemas viene a ser una condición de orden espiritual o, dicho de otra forma, de relación personal con Dios.

No obstante todo esto, el cristiano, como miembro de la sociedad humana y aun como hijo y servidor de Dios, puede hacer algo tendente a que la vida sobre la tierra sea un poco mejor de lo que es. El cristiano, pues, puede hacer las siguientes cosas:

Puede él mismo abstenerse de hacer todas aquellas cosas que son pecaminosas y dañinas. Puede ser un colaborador activo en el ministerio espiritual de difundir la verdad de Dios. Puede participar en cualquier campaña de orden cívico, que se proponga combatir los vicios y todos los males sociales de nuestra época. Puede también contribuir con su dinero hacia el sostenimiento de las distintas instituciones que existen para ayudar en la orientación y rehabilitación de los drogadictos y alcohólicos. Y, sobre todas las cosas, puede ejercer el ministerio de la intercesión mediante la oración. Romanos 12:17b; 1 Timoteo 2:1-4.

PREGUNTA 10 ¿CUAL DEBE SER LA ACTITUD DEL CRISTIANO EN CUANTO A LA VIDA EN GENERAL?

RESPUESTA La actitud del cristiano hacia la vida en general debe ser de optimismo y confianza, de esfuerzo consciente, de alegría sana; debe mirar a la vida como una preciosa oportunidad para hacer el bien. En la vida hay muchísimas cosas buenas que Dios nos da, y nosotros debemos usarlas y gozarlas. Hay lo que se llama la alegría del vivir. Vivir con sobriedad es muy necesario. Sobre todas las cosas, Dios debe ocupar el centro de la vida. El puede darle a nuestra existencia valor, significado y gozo. Eclesiastés 3:11; Hebreos 13:5, 6; 1 Pedro 5:7, 8; Santiago 4:13-15; Filipenses 4:4.

Duodécima Lección
LA ESPERANZA DEL CRISTIANO

TEXTO PARA APRENDER DE MEMORIA
"Bendito el Dios y Padre de nuestro Señor Jesucristo, que según su grande misericordia nos hizo renacer para una esperanza viva, por la resurrección de Jesucristo de los muertos" (1 Pedro 1:3).

PREGUNTA 1   ¿QUE ES LA ESPERANZA DEL CRISTIANO?
RESPUESTA   La esperanza del cristiano es el cumplimiento completo de su salvación, cuando viva con Cristo en el cielo para siempre jamás. El espera verse totalmente libre del pecado y disfrutando de la dulce comunión con su Salvador en gloria. Es una esperanza de victoria definitiva, de gozo abundante y de una paz sin sombras. Romanos 8:24; 1 Pedro 1:4, 5; 2 Timoteo 4:6-8; Apocalipsis 21:4.

PREGUNTA 2   ¿POR QUE HAY MUERTE?
RESPUESTA   La muerte física es la separación del espíritu y el cuerpo. Cuando el espíritu sale, el cuerpo muere. La muerte vino como una consecuencia del pecado, de la desobediencia de nuestros primeros padres Adán y Eva. Si no hubiera habido pecado tampoco habría habido muerte. Hay tres clases de muerte: la muerte física, la muerte espiritual, y la muerte eterna. Toda muerte es consecuencia del pecado y consiste, en esencia, en una separación. La muerte espiritual es cuando el creyente, por su desobediencia, interrumpe la comunión con Dios. La muerte eterna es cuando el cuerpo y el espíritu, reunidos nuevamente en la resurrección, serán lanzados en el lago del fuego para estar separados de Dios para siempre. Génesis 2:17; Romanos 5:12; 6:23a; Santiago 2:26; Apocalipsis 20:13-15.

PREGUNTA 3 ¿HAY VIDA MAS ALLA DE LA MUERTE?
RESPUESTA Sobre la autoridad de la Biblia, la respuesta es un sí rotundo. Sabemos esto por intuición y por revelación, es decir, en nuestro ser interior sentimos que la muerte no es el final completo de todo, y el Señor Jesucristo declaró enfáticamente que hay vida consciente después de la ocurrencia del fenómeno de la muerte física. Job 14:14; Eclesiastés 12:7; Lucas 23:46; 16:19-31; Filipenses 1:21.

PREGUNTA 4 CUANDO EL CREYENTE MUERE, ¿ADONDE VA?
RESPUESTA Ya dijimos antes que la muerte física es la separación del espíritu del cuerpo. El cuerpo, entonces, que es materia, vuelve a la tierra al ser sepultado. El espíritu, dice la Biblia, "vuelve a Dios, que lo dio". En el Nuevo Testamento esta enseñanza es dada con mayor claridad. El apóstol Pablo dice que "estar ausentes del cuerpo" es estar "presentes al Señor" (2 Corintios 5:8). Por eso se puede afirmar que el creyente, al morir, va al cielo, a la presencia de su Señor. Cristo dice que cuando Lázaro murió "fue llevado por los ángeles al seno de Abraham" (Lucas 16:22). ¿Qué llevaron los ángeles al "seno de Abraham"? De cierto que no fue el cadáver sino el espíritu de Lázaro. Esta es la razón por qué Esteban, el protomártir del cristianismo, cuando estaba para morir dijo: "Señor Jesús, recibe mi espíritu" (Hechos 7:59).

PREGUNTA 5 ¿QUE PASA CON LOS QUE MUEREN SIN CRISTO?
RESPUESTA Los que mueren sin Cristo se condenan. Al morir, ellos no van al cielo, ni al paraíso, ni al seno de Abraham, ni a la presencia del Señor. Ellos, o más bien sus espíritus, son guardados por Dios, bajo condenación, para ser juzgados y castigados. Todas las expresiones bíblicas que se refieren al estado de los espíritus de los que mueren sin ser salvos, son expresiones acerca de sufrimiento, de tormento y de juicio. La cosa más terrible, pues, que le puede acontecer a cualquier individuo es partir de este mundo sin su confianza en el Señor Jesús, sin la seguridad del perdón de sus pecados y de la esperanza de la vida eterna. Salmo 1:6b; Daniel 12:2; Lucas 16:23; Mateo 16:26; 2 Pedro 2:9b.

PREGUNTA 6 ¿QUE ES LA RESURRECCION?
RESPUESTA La resurrección es que el espíritu vuelve a tomar su cuerpo y éste revive. Pero hay mucho más: en la resurrección los cuerpos no sólo volverán a vivir sino que serán transformados en cuerpos gloriosos, semejantes al cuerpo de la resurrección de nuestro Señor

Jesucristo, con propiedades maravillosas y poderes fantásticos. Desde luego, esto que ahora es una hermosa esperanza en nuestra salvación, será una realidad por el poder de Dios en el día de la resurrección, el cual coincidirá también con la segunda venida de Cristo. Los cuerpos resucitados de los creyentes serán entonces arrebatados para el encuentro con Cristo en el aire. La enseñanza bíblica sobre este evento futuro es clara y abundante. Daniel 12:2, 3; Juan 5:25, 28, 29; 1 Corintios 15:12, 13, 16, 21-26, 35-56; Filipenses 3:20, 21; 1 Tesalonicenses 4:13-18.

PREGUNTA 7 ¿QUE GRAN PROMESA HIZO CRISTO A SUS DISCIPULOS?

RESPUESTA   La gran promesa que Cristo les hizo a sus discípulos y, por extensión, a todos los creyentes en él, es la de que él iría al cielo a preparar moradas para ellos, y de que volvería a la tierra por ellos para que estuvieran junto con él. Esto es lo que comúnmente llamamos la Segunda Venida del Señor. Su segunda venida, según las Escrituras, será repentina, personal, visible y gloriosa. El apóstol Pablo la llama "la esperanza bienaventurada". Y el apóstol Juan dice que "todo aquel que tiene esta esperanza en él, se purifica a sí mismo, así como él es puro" (1 Juan 3:3). Juan 14:1-3; Mateo 24:27, 30, 31, 36-42; Hechos 1:10, 11; Tito 2:13; Hebreos 9:28; 1 Tesalonicenses 1:10; Apocalipsis 1:7; 22:20.

PREGUNTA 8 ¿HAY INFIERNO?

RESPUESTA   El infierno, o lugar del castigo eterno de los impíos, es una doctrina ampliamente enseñada en el Nuevo Testamento. La palabra infierno no aparece en el griego del Nuevo Testamento; ella es una palabra que el padre Jerónimo, en el siglo IV de nuestra era, usó en su traducción del hebreo y del griego al latín, y que ahora se conoce como la Vulgata Latina. Sin embargo, hay en el Nuevo Testamento la enseñanza de que los que mueren en condenación, después del Juicio Final serán lanzados en "un lago de fuego". Otras expresiones que se refieren a lo mismo son éstas: "la muerte segunda", "el castigo (o tormento) eterno" y "el fuego eterno". El término infierno es sólo un término popular para referirse a ese lugar y a ese estado de perdición.

Es posible razonar algunas objeciones a esta doctrina y sin duda que no entendemos todo acerca de ella, pero tenemos que aceptarla porque está enseñada en el Nuevo Testamento, y porque fue Jesucristo mismo quien más habló de ella. Salmo 1:5, 6; Mateo 5:29, 30; 18:9; 23:33; 25:41-46; Juan 3:36b; Apocalipsis 20:10, 14, 15; 19:20; 21:8.

PREGUNTA 9 ¿QUE ES EL CIELO?

RESPUESTA El cielo es la morada eterna de los justos resucitados y perfeccionados. Es la cristalización gloriosa de la salvación. Es un lugar maravilloso y un estado de felicidad y paz. El cielo es estar para siempre con el Señor y disfrutar de la compañía con todos los redimidos por su sangre. Juan 5:24; Romanos 8:1; Juan 14:2, 3; Filipenses 3:20, 21; 1 Tesalonicenses 4:17; Apocalipsis 2:10; 21:1-7, 27; 22:14, 17; 2 Timoteo 4:6-8.

PREGUNTA 10 ¿ESTA SU NOMBRE ESCRITO EN EL LIBRO DE LA VIDA?

RESPUESTA Para usted, amado alumno o lector, después de haber estudiado este Catecismo Bíblico y Doctrinal: "El Nuevo Creyente", la pregunta más importante de todas es ésta: "¿Está su nombre escrito en el Libro de la Vida?" Si usted ha creído en Jesucristo de todo su corazón como su Salvador personal, entonces usted puede estar seguro de que su nombre ha sido ya escrito en el Libro de la Vida. Es mi oración que usted sea un cristiano salvo y que tenga esta gloriosa seguridad. Apocalipsis 20:12, 15.

ORACION

Oh buen Padre celestial, te doy gracias por haberme permitido realizar este estudio bíblico tan provechoso para mi conocimiento y mi vida cristiana. Ahora te pido que me ayudes a perseverar en lo que he aprendido y a compartir con otros estas sabias enseñanzas de tu Santa Palabra. Te doy gracias por mi salvación y es mi deseo crecer en la vida espiritual, a fin de ser un cristiano útil en tu obra. Que tu Espíritu Santo me guíe en todo. En el nombre de Jesucristo, Amén.